UN ÉTÉ AVEC
BAUDELAIRE

DU MÊME AUTEUR

LA SECONDE MAIN OU LE TRAVAIL DE LA CITATION, Seuil, 1979.

LE DEUIL ANTÉRIEUR, Seuil, 1979.

NOUS, MICHEL DE MONTAIGNE, Seuil, 1980.

LA TROISIÈME RÉPUBLIQUE DES LETTRES, Seuil, 1983.

FERRAGOSTO, Flammarion, 1985.

PROUST ENTRE DEUX SIÈCLES, Seuil, 1989.

LES CINQ PARADOXES DE LA MODERNITÉ, Seuil, 1990.

CHAT EN POCHE : MONTAIGNE ET L'ALLÉGORIE, Seuil, 1993.

CONNAISSEZ-VOUS BRUNETIÈRE ?, Seuil, 1997.

LE DÉMON DE LA THÉORIE, Seuil, 1998.

BAUDELAIRE DEVANT L'INNOMBRABLE, Presses de l'Université de Paris-Sorbonne, 2003.

LES ANTIMODERNES, DE JOSEPH DE MAISTRE À ROLAND BARTHES, Gallimard, coll. « Bibliothèque des idées », 2005.

LA LITTÉRATURE, POUR QUOI FAIRE ?, Fayard, 2007.

LE CAS BERNARD FAŸ : DU COLLÈGE DE FRANCE À L'INDIGNITÉ NATIONALE, Gallimard, coll. « La suite des temps », 2009.

LA CLASSE DE RHÉTO, Gallimard, 2012.

UN ÉTÉ AVEC MONTAIGNE, Équateurs, 2013.

BAUDELAIRE L'IRRÉDUCTIBLE, Flammarion, 2014.

Antoine Compagnon

UN ÉTÉ AVEC
BAUDELAIRE

ÉQUATEURS FRANCE INTER

© Éditions des Équateurs / France Inter, 2015.

Sites Internet : www.equateurs.fr
www.franceinter.fr

Courriel : contact@editionsdesequateurs.fr

« C'était hier l'été »

Quoi de plus saugrenu qu'un été avec Baudelaire ? C'est sûrement ce qu'aura pensé plus d'un connaisseur des *Fleurs du Mal*. L'été ne fut pas, en effet, la saison préférée de notre poète.

Qui donc chanta l'été ?

Midi, roi des étés, épandu sur la plaine,
Tombe en nappes d'argent des hauteurs du ciel bleu.

Ces vers sont de Leconte de Lisle, né à l'île Bourbon, au milieu de l'océan Indien, et non pas de Baudelaire, enfant de Paris qui vit le jour dans l'étroite rue Hautefeuille.

Baudelaire fut le poète du crépuscule, de l'ombre, du regret, de l'automne. *Chant d'automne*, mis en musique par Gabriel Fauré, souvent cité par Proust, reste l'un des poèmes les plus mémorables des *Fleurs du Mal* :

Bientôt nous plongerons dans les froides ténèbres ;
Adieu, vive clarté de nos étés trop courts !
J'entends déjà tomber avec des chocs funèbres
Le bois retentissant sur le pavé des cours.

Avec l'arrière-saison, revient le temps de la mémoire et de l'imagination, du spleen et de la mélancolie, facultés et sentiments inséparables de notre perception de Baudelaire :

Il me semble, bercé par ce choc monotone,
Qu'on cloue en grande hâte un cercueil quelque part.
Pour qui ? — C'était hier l'été ; voici l'automne !
Ce bruit mystérieux sonne comme un départ.

J'aime de vos longs yeux la lumière verdâtre,
Douce beauté, mais tout aujourd'hui m'est amer,
Et rien, ni votre amour, ni le boudoir, ni l'âtre,
Ne me vaut le soleil rayonnant sur la mer.

Il y a là comme une perpétuelle nostalgie du soleil sur la mer, du soleil de midi en été. Quoi de plus fugitif que la belle saison ? Ailleurs, c'est partout le soleil couchant, symbole de la décadence, que Baudelaire célèbre, le moment du demi-jour ou de l'avant-nuit, et le crépuscule du soir plus souvent que celui du matin :

Amante ou sœur, soyez la douceur éphémère
D'un glorieux automne ou d'un soleil couchant.

C'est à la tombée du jour ou de la nuit qu'est associée la femme aimée, et ce sont les autres saisons que le poète distingue toujours :

> Ô fins d'automne, hivers, printemps trempés de boue,
> Endormeuses saisons ! je vous aime et vous loue.

Parler de Baudelaire en été, ce serait donc une gageure plus démesurée et un projet encore plus absurde que d'évoquer Montaigne ou Proust. Baudelaire, qui connut le soleil quand son beau-père, pour le mettre au pas, l'envoya dans les mers du Sud à vingt ans, fit demi-tour à l'île Bourbon et rejoignit bientôt la rive nord de l'île Saint-Louis, pour ne plus quitter Paris, hormis quelques rares séjours chez sa mère, retirée à Honfleur, et son dernier et désastreux exil à Bruxelles.

Un automne avec Baudelaire aurait été plus à propos, une morte saison, quand les jours raccourcissent et que les chats se pelotonnent au coin du feu. Par surcroît, deux ou trois facteurs aggravaient le défi.

D'abord, *Un été avec Montaigne* a rencontré un succès inattendu, à la radio puis en librairie, les auditeurs de France Inter, puis les lecteurs du livre tiré des émissions de l'été 2012, ayant plébiscité les *Essais*. La barre était donc haut placée, redoutable. Il s'agissait, reprenant le micro deux ans plus tard, à la demande de Philippe Val et de Laurence Bloch, non pas de faire mieux, mais du moins de ne pas trop déchoir, de ne point trop décevoir.

Ensuite, Baudelaire est un sujet autrement plus périlleux que Montaigne. L'auteur des *Essais*, on l'aime pour sa franchise, sa modération et sa modestie, sa bienveillance et sa générosité. C'est un ami, un frère, « parce que c'était lui, parce que c'était moi », et il est l'auteur d'un seul grand livre que l'on garde volontiers à son chevet, dont on relit chaque soir quelques pages afin de mieux vivre, plus sagement, plus humainement. Alors que le poète des *Fleurs du Mal*, et plus encore celui du *Spleen de Paris*, est un homme blessé et amer, un cruel bretteur, un fou génial, un agitateur d'insomnies.

Et son œuvre est multiple, éparse : poèmes en vers et en prose, critique d'art et critique littéraire, fragments intimes, satires et pamphlets. La justice du second Empire le condamna. Ses contemporains nous transmirent de nombreuses anecdotes sur ses excentricités. S'il exista, à la fin de sa vie, une « école Baudelaire », ce qui eut le don de l'irriter, il fallut attendre longtemps pour que son œuvre fût enseignée à l'école, et, aujourd'hui encore, lorsque les lycéens découvrent certains poèmes en vers ou en prose, ils ressentent un choc durable. Baudelaire est à bien des égards notre contemporain, mais certaines de ses opinions — sur la démocratie, les femmes, la peine de mort par exemple — nous semblent déplaisantes et peuvent même nous scandaliser.

Enfin, la plus grande liberté d'allure convenait à merveille pour envisager Montaigne. J'ai décidé d'aborder Baudelaire dans le même esprit, « à sauts et à gambades », sans souci de tout dire, cherchant, sinon à faire aimer un homme qui ne le demandait pas, du moins à reconduire le plus grand nombre dans les librairies afin qu'ils retrouvent le chemin des *Fleurs du Mal* et du *Spleen de Paris*[1].

---

1. Baudelaire est cité dans l'édition de la « Bibliothèque de la Pléiade » : *Œuvres complètes*, éd. Claude Pichois, Gallimard, 1975-1976, 2 vol. (I et II) ; *Correspondance*, éd. C. Pichois et Jean Ziegler, Gallimard, 1973, 2 vol. (C, I et C, II).

Mme Aupick

Je n'ai pas oublié, voisine de la ville,
Notre blanche maison, petite mais tranquille ;
Sa Pomone de plâtre et sa vieille Vénus
Dans un bosquet chétif cachant leurs membres nus,
Et le soleil, le soir, ruisselant et superbe,
Qui, derrière la vitre où se brisait sa gerbe,
Semblait, grand œil ouvert dans le ciel curieux,
Contempler nos dîners longs et silencieux,
Répandant largement ses beaux reflets de cierge
Sur la nappe frugale et les rideaux de serge.

Pourquoi commencer de but en blanc par ce petit poème sans titre des *Fleurs du Mal*, presque toujours négligé ? Parce que Baudelaire lui-même y était très attaché ; parce que c'est aussi l'un des plus personnels, des plus intimes du recueil. Peu après la publication de son livre, en 1857, Baudelaire écrivit à sa mère, Mme Aupick, pour se plaindre qu'elle n'ait pas remarqué un poème qui parlait d'elle. Ce poème, laissé sans titre ni allusions claires parce que Baudelaire avait « horreur de prostituer les choses intimes de famille » (C, I, 445), est celui-ci, qui relate les rares moments de bonheur que le poète vécut quand il était enfant, dans l'intervalle qui sépara la mort de son père et le second mariage de sa mère. Il eut alors celle-ci toute à lui.

Ses parents formaient un couple singulier. À sa naissance en 1821, ils étaient jeunes mariés, mais sa mère n'avait que vingt-huit ans, tandis que son père en avait déjà soixante-deux. François Baudelaire, homme du XVIIIe siècle, ancien prêtre, peintre amateur, mourut quand le petit Charles n'avait pas encore six ans. Sa mère se remaria moins de deux ans plus tard, avec le chef de bataillon Aupick, et Baudelaire ne sut sans doute jamais qu'elle donna bientôt naissance à une fille qui ne vécut pas.

Le paradis de leur intimité ne dura pas plus que les étés de 1827 et 1828, « le bon temps des tendresses maternelles », comme il nomme cette époque dans une autre lettre à Mme Aupick en 1861 (C, II, 153). Le fils séjournait avec sa mère dans une « blanche maison » de Neuilly, « petite mais tranquille », ainsi que le rappelle le poème. Le poète se souvient, se souviendra toujours, de leurs « dîners longs et silencieux », tandis que le soleil jetait ses derniers feux sur la table à travers les rideaux.

Voilà l'été, le bel été de l'enfance, l'été à jamais perdu. Baudelaire ne connaîtra plus une telle félicité. Bientôt, avec sa mère, il suivra son beau-père en garnison à Lyon, puis il sera interne au collège Louis-le-Grand, et les relations du poète avec le colonel, puis général Aupick, seront pour le moins rugueuses. La complicité de Neuilly restera comme le trésor enfoui au fond de sa poésie de la mémoire, et toute sa vie il rêvera de rejoindre sa mère.

Aussitôt après la mort du général Aupick en 1857 — quelques mois avant la publication des *Fleurs du Mal* —, sa veuve se retira à Honfleur, dans une autre petite maison, que Baudelaire appelait la « maison-joujou ». Il sera sans cesse question de l'y retrouver, d'échapper à l'enfer parisien, de jouir de la paix auprès d'elle. Et c'est enfin ce que Baudelaire fera durant quelques mois en 1859. Ce sera sa dernière radieuse saison de création poétique.

La correspondance de Baudelaire et de sa mère est déchirante et elle transforma la réputation du poète quand elle fut connue au début du XXᵉ siècle. Leurs relations étaient faites de reproches continuels, puis d'excuses, de justifications et de remords. Quand la santé de Baudelaire, après une chute à Namur dans l'église Saint-Loup, se dégrada à Bruxelles en mars 1866, Mme Aupick le rejoignit pour s'occuper de lui, mais il l'injuriait — « Cré nom », c'était tout ce qu'il pouvait dire encore —, tant et si bien qu'elle repartit vite pour Honfleur.

Et si elle n'aperçut pas que « *Je n'ai pas oublié, voisine de la ville* » parlait d'elle, *Bénédiction*, le premier poème des *Fleurs du Mal*, ne dut pas lui échapper. La naissance du poète, de tout poète, y était présentée comme une malédiction pour le monde, mais d'abord pour la femme qui lui avait donné le jour :

Lorsque, par un décret des puissances suprêmes,
Le Poëte apparaît en ce monde ennuyé,
Sa mère épouvantée et pleine de blasphèmes
Crispe ses poings vers Dieu, qui la prend en pitié :

— « Ah ! que n'ai-je mis bas tout un nœud de vipères,
Plutôt que de nourrir cette dérision !
Maudite soit la nuit aux plaisirs éphémères
Où mon ventre a conçu mon expiation ! »

Entre Baudelaire et sa mère, le malentendu ne cessa jamais.

2

Le réaliste

Rappelez-vous l'objet que nous vîmes, mon âme,
Ce beau matin d'été si doux :
Au détour d'un sentier une charogne infâme
Sur un lit semé de cailloux,

Les jambes en l'air, comme une femme lubrique,
Brûlante et suant les poisons,
Ouvrait d'une façon nonchalante et cynique
Son ventre plein d'exhalaisons.

Lors du procès des *Fleurs du Mal*, en 1857, Ernest Pinard, substitut du procureur impérial, accusa Baudelaire de réalisme : « Son principe, sa théorie, c'est de tout peindre, de tout mettre à nu. Il fouillera la nature humaine dans ses replis les plus intimes ; il aura, pour la rendre, des tons vigoureux et saisissants, il l'exagérera surtout dans ses côtés hideux ; il la grossira outre mesure, afin de créer l'impression, la sensation. » Le mot *réalisme* n'était pas prononcé, mais il figurera dans le principal attendu du jugement, ordonnant la suppression de six poèmes, qui « conduisent nécessairement à l'excitation des sens par un réalisme grossier et offensant pour la pudeur ».

Baudelaire était coupable de décrire ; c'était donc un réaliste, appellation qui condamnait pêle-mêle la peinture de Courbet, le roman de Flaubert, et la poésie de Baudelaire. Celui-ci s'était pourtant éloigné des réalistes depuis le coup d'État du 2 décembre 1851, mais il leur restait assimilé, et son portrait, peint par Courbet en 1847 (musée Fabre, Montpellier), figure encore dans un coin de *L'Atelier du peintre* en 1855 (musée d'Orsay). Né dans la bohème, le réalisme était « la contrepartie du classique », avançait Pinard, autant dire l'ennemi de classe : c'était l'innovation qui bafouait les normes esthétiques, mais aussi la conspiration contre la société bourgeoise.

Madame Bovary venait d'être accusé d'immoralité. Est réaliste une œuvre que n'accompagne pas une mise en garde moraliste, une œuvre où l'auteur donne à voir sans intervenir pour juger et condamner. Flaubert avait été acquitté, car sa famille de bonne bourgeoisie avait fait corps derrière lui. En revanche, l'avocat de Baudelaire n'osa même pas rappeler que le beau-père du poète, le général Aupick, qui venait de mourir, avait commandé l'École polytechnique en 1848, avant de devenir un notable du régime impérial, ambassadeur et sénateur.

Furent donc condamnées les pièces jugées réalistes des *Fleurs du Mal* et elles portaient en particulier sur les amours entre femmes. C'est Lesbos qui fit scandale, mais aussi Éros — comme dans *À celle qui est trop gaie* : « T'infuser mon venin, ma sœur ! » —, un Éros teinté de perversion, de sadisme.

Toutefois, un autre côté du réalisme de Baudelaire choqua aussi ses premiers lecteurs bien-pensants, celui d'*Une charogne*, poème longtemps emblématique des *Fleurs du Mal* aux yeux de nombreux lecteurs :

> Le soleil rayonnait sur cette pourriture,
>   Comme afin de la cuire à point,
> Et de rendre au centuple à la grande Nature
>   Tout ce qu'ensemble elle avait joint ;
>
> Et le ciel regardait la carcasse superbe
>   Comme une fleur s'épanouir.
> La puanteur était si forte, que sur l'herbe
>   Vous crûtes vous évanouir.

Songeant à de tels vers, Sainte-Beuve reprochait à Baudelaire de « pétrarquiser sur l'horrible », et les collégiens se les récitèrent long-temps dans les cours de récréation, en cachette de leurs professeurs, tant que Baudelaire ne figura pas au programme des écoles.

Or, pour dénoncer ou pour louer le réalisme d'*Une charogne*, la peinture complaisante d'une nature non plus belle et bonne, mais corrompue et corruptrice, laide et répugnante, il fallait avoir oublié la tradition de la Vanité, du *memento mori* — « Souviens-toi que tu es mortel ! » — dans la poésie baroque, déjà opposée à l'esthétique classique. C'étaient aussi les souvenirs de la poésie française des XVIe et XVIIe siècles, l'enracinement des *Fleurs du Mal* dans la tradition, que l'on prenait pour leur réalisme morbide.

3

Le classique

À la pâle clarté des lampes languissantes,
Sur de profonds coussins tout imprégnés d'odeur,
Hippolyte rêvait aux caresses puissantes
Qui levaient le rideau de sa jeune candeur.

Elle cherchait, d'un œil troublé par la tempête,
De sa naïveté le ciel déjà lointain,
Ainsi qu'un voyageur qui retourne la tête
Vers les horizons bleus dépassés le matin.

Proust compare souvent Baudelaire à Racine, par exemple lors du centenaire de la naissance du poète, en 1921, dans un article de *La Nouvelle Revue française*, « À propos de Baudelaire » : « Rien n'est si baudelairien que *Phèdre*, rien n'est si digne de Racine, voire de Malherbe, que *Les Fleurs du Mal*. » En 1921, le consensus se fait enfin autour de Baudelaire, sacré grand poète français et remplaçant peu à peu Victor Hugo au pinacle. La comparaison avec Racine est devenue un cliché rédempteur, mais Proust déclarait dès 1905, à une époque où Baudelaire faisait encore scandale : « A-t-on dit que c'était un décadent ? Rien n'est plus faux. Baudelaire n'est pas même un romantique. Il écrit comme Racine. Je pourrais vous citer vingt exemples. »

Baudelaire fut longtemps pris pour un décadent, suivant une idée mise en avant par Théophile Gautier dans sa préface à l'édition posthume des *Fleurs du Mal* en 1868, puis renforcée par la publication des fragments autobiographiques de Baudelaire, *Fusées* et *Mon cœur mis à nu*, en 1887, mais la publication des lettres de Baudelaire à sa mère en 1918 contribua à rendre moins mystificatrice et plus tragique la figure du poète. Proust ajoutait, révélant la proximité des deux nouvelles images : « Du reste c'est un poète chrétien et c'est pour cela que comme Bossuet, comme Massillon il parle sans cesse du péché. Mettons que, comme tous les chrétiens qui sont en même temps hystériques [...] il a connu le sadisme du blasphème. » Étonnante formule qui condense toutes les épithètes dont Baudelaire a eu à connaître (il avait été traité de « Boileau hystérique » dès 1864).

Baudelaire classique : Proust retrouve les

termes d'Anatole France. Celui-ci vint en 1889 au secours du poète, que le critique conservateur Ferdinand Brunetière avait condamné après la publication de *Fusées* et de *Mon cœur mis à nu*, où il avait trouvé des horreurs. Anatole France, tout en concédant que Baudelaire avait été « assez pervers et assez malsain », qu'il « affectait dans sa personne une sorte de dandysme satanique qui semble aujourd'hui assez odieux », louait son classicisme et citait déjà la troisième strophe de *Femmes damnées*, poème condamné en 1857 :

De ses yeux amortis les paresseuses larmes,
L'air brisé, la stupeur, la morne volupté,
Ses bras vaincus, jetés comme de vaines armes,
Tout servait, tout parait sa fragile beauté.

France disait de ces vers : « Qu'y a-t-il [...] de plus beau dans toute la poésie contemporaine que cette strophe, tableau achevé de voluptueuse lassitude ? [...] Qu'y a-t-il de plus magnifique dans Alfred de Vigny lui-même, que cette malédiction pleine de piété que le poète jette aux "femmes damnées" ? »

La légende baudelairienne était proprement renversée, puisque c'était dans les vers incriminés jusque-là pour leur érotisme réaliste et décadent qu'Anatole France découvrait le sommet du classicisme : « Et remarquez, en passant, comme le vers de Baudelaire est classique et traditionnel, comme il est plein. »

Très tôt, on a ainsi défendu Baudelaire en soulignant le classicisme des *Fleurs du Mal*, leur versification harmonieuse, musicale, pleine ; on sauvait quelques « meilleures pièces » : *Correspondances*, *Le Flacon*, *La Chevelure*, *Parfum exotique*, les plus mélodieux poèmes du souvenir. Même si Rimbaud avait dénoncé dès 1871 ce classicisme comme une grave limitation : « La forme si vantée en lui est mesquine : les inventions d'inconnu réclament des formes nouvelles. »

Un classique, comme disait Roland Barthes, c'est un auteur que l'on enseigne dans les classes. Quand Baudelaire entra dans les programmes scolaires et que son œuvre donna lieu à des explications de texte, on se mit à analyser les poèmes les plus classiques, au sens d'Anatole France et de Proust, comme *La Beauté*, chef-d'œuvre de perfection formelle et de virtuosité technique, ou encore *Harmonie du soir*, *Le Balcon*, *L'Invitation au voyage*, pièces musicales, rythmées, pures.

4

La mer

L'été, c'est le moment de fêter la mer, où nous rêvons de nous baigner avec délice, de nous oublier en épousant l'onde. Un poème des *Fleurs du Mal* la célèbre :

Homme libre, toujours tu chériras la mer !
La mer est ton miroir ; tu contemples ton âme
Dans le déroulement infini de sa lame,
Et ton esprit n'est pas un gouffre moins amer.

Tu te plais à plonger au sein de ton image ;
Tu l'embrasses des yeux et des bras, et ton cœur
Se distrait quelquefois de sa propre rumeur
Au bruit de cette plainte indomptable et sauvage.

Cette bonne mer, cette mer heureuse, euphorisante, c'est celle que Baudelaire rencontra parfois au cours de son « long voyage sur mer » de 1841 et 1842, imaginé par le général Aupick, son beau-père, pour le dépayser, l'éloigner des « égouts de Paris », après une année de débauche et de dépense bohémiennes, alors qu'il n'était pas encore majeur et passait ses jours et ses nuits à faire des dettes. Cette mer peupla pour longtemps sa mémoire d'images exotiques.

Voici comment il résuma plus tard son voyage dans une note biographique :

Voyages dans l'Inde (d'un consentement commun). Première aventure (navire démâté) Le capitaine Adam. (Maurice, île Bourbon, Malabar, Ceylan, Indoustan, Cap ; promenades heureuses.) (I, 784.)

Il exagérait ; il embellissait. S'il embarqua en effet à Bordeaux dans un navire qui se rendait à Calcutta, il refusa d'aller plus loin que la Réunion et réembarqua pour Bordeaux. Au large du cap de Bonne-Espérance, un terrible cyclone avait démâté le navire, qui fut presque perdu. Dans l'île Maurice, séjour agréable, il se promena avec Mme Autard de Bragard, à qui il dédia *À une dame créole*. Mais il ne connut ni le Malabar, ni Ceylan, ni l'Indoustan.

Le poème développe une analogie ou une correspondance entre l'homme et la mer, qui serait pour lui un miroir. Ainsi, comme l'homme est double, bon et méchant, il y a une autre face de la mer, une mer mauvaise, que Baudelaire a connue en même temps que la bonne. Avec la bonne mer, le rapport est sensuel, comme celui d'un homme et d'une femme. Cependant, la mer apporte aussi l'angoisse du gouffre dès l'inquiétante rime *mer / amer* du premier quatrain. La mer est à l'image de l'homme dans l'extase comme dans l'horreur ; elle est elle aussi caractérisée par la dualité et le retournement. C'est pourquoi les deux derniers quatrains du poème sont profondément angoissés :

Vous êtes tous les deux ténébreux et discrets :
Homme, nul n'a sondé le fond de tes abîmes ;
Ô mer, nul ne connaît tes richesses intimes,
Tant vous êtes jaloux de garder vos secrets !

Et cependant voilà des siècles innombrables
Que vous vous combattez sans pitié ni remord,
Tellement vous aimez le carnage et la mort,
Ô lutteurs éternels, ô frères implacables !

L'homme et la mer, tous deux aussi mystérieux, aussi inquiets, sont en lutte depuis toujours. La mer donne à l'homme une idée de l'Infini, elle ouvre vers une transcendance, vers l'Idéal. Comme Baudelaire le note dans *Mon cœur mis à nu* :

Pourquoi le spectacle de la mer est-il si infiniment et si éternellement agréable ?

> Parce que la mer offre à la fois l'idée de l'immensité et du mouvement. Six ou sept lieues représentent pour l'homme le rayon de l'infini. Voilà un infini diminutif. Qu'importe s'il suffit à suggérer l'idée de l'infini total ? (I, 696.)

Toutefois, dans sa platitude inexorable, débordant l'horizon, elle devient aussi synonyme de menace ; elle signifie à la fois la confiance et le désespoir. Le bruit de la mer, sa rumeur, c'est le rire de la foule innombrable, effrayante, comme dans *Obsession* :

> Je te hais, Océan ! tes bonds et tes tumultes,
> Mon esprit les retrouve en lui ; ce rire amer
> De l'homme vaincu, plein de sanglots et d'insultes,
> Je l'entends dans le rire énorme de la mer.

Ou à la fin des *Sept Vieillards* :

> Vainement ma raison voulait prendre la barre ;
> La tempête en jouant déroutait ses efforts,
> Et mon âme dansait, dansait, vieille gabarre,
> Sans mâts, sur une mer monstrueuse et sans bords !

Pas de meilleure image de la volupté comme de la torture que la mer.

5

Un fanal obscur

Baudelaire n'aimait pas son époque, caractérisée à ses yeux par la croyance naïve dans le
progrès, par la doctrine du progrès sous toutes
ses formes, technique, sociale, morale, artistique, « pensée unique » du XIXe siècle :

> Il est encore une erreur fort à la mode, de laquelle
> je veux me garder comme de l'enfer. — Je veux par-
> ler de l'idée du progrès. Ce fanal obscur, invention
> du philosophisme actuel, breveté sans garantie de la
> Nature ou de la Divinité, cette lanterne moderne jette
> des ténèbres sur tous les objets de la connaissance ; la
> liberté s'évanouit, le châtiment disparaît. Qui veut y
> voir clair dans l'histoire doit avant tout éteindre ce fanal
> perfide. Cette idée grotesque, qui a fleuri sur le terrain
> pourri de la fatuité moderne, a déchargé chacun de son
> devoir, délivré toute âme de sa responsabilité, dégagé
> la volonté de tous les liens que lui imposait l'amour du
> beau : et les races amoindries, si cette navrante folie
> dure longtemps, s'endormiront sur l'oreiller de la fata-
> lité dans le sommeil radoteur de la décrépitude. Cette
> infatuation est le diagnostic d'une décadence déjà trop
> visible. (II, 580.)

Baudelaire lance cette terrible diatribe contre l'idéologie du progrès lors de l'Exposition universelle de 1855, immense fête organisée par le régime impérial pour célébrer sa détermination moderne, quelques années après l'exposition de Londres qui avait inauguré en 1851 la mode de ces solennités industrielles. Il forge d'ironiques alliances de termes pour saisir le progrès dans sa contradiction, « lanterne moderne » et « fanal obscur », c'est-à-dire lanterne bien peu magique et qui « jette des ténèbres ».

L'ami de Baudelaire, le poète et photographe Maxime Du Camp (il avait accompagné Flaubert en Orient), adulateur des nouvelles techniques, venait de l'irriter par ses *Chants modernes*, hymne progressiste et positiviste publié à l'occasion de l'Exposition, puéril éloge de la vapeur, du gaz, de l'électricité. Baudelaire se moquera plus tard de Du Camp en lui dédiant le dernier poème des *Fleurs du Mal* en 1861, *Le Voyage*, qui donne « du globe entier l'éternel bulletin », à savoir « Le spectacle ennuyeux de l'immortel péché », qui décrit le monde comme « Une oasis d'horreur dans un désert d'ennui ». Offert au chantre du progrès, *Le Voyage* prend plaisir à ruiner toute foi dans le progrès.

Ce genre d'enthousiasme moderne excite la rage de Baudelaire contre le matérialisme de ses contemporains, lesquels conçoivent les mœurs et les arts sur le modèle du mouvement qui emporte les sciences et les techniques. Baudelaire dénonce la philosophie des Lumières, l'idée de la perfectibilité de l'homme, de sa bonté naturelle. C'est à ses yeux une hérésie répandue depuis Rousseau et dont le résultat est une décadence morale, puisque nous attendons de l'histoire qu'elle améliore notre condition. Il n'y a plus d'effort à faire si « nous progressons sans le vouloir, inévitablement — en dormant » (II, 325).

Pour Baudelaire, l'homme est foncièrement mauvais, car il est affecté par le péché originel, et la doctrine du progrès appliquée à la vie morale dissimule le Mal inhérent à la condition humaine. Le poète s'en prend ainsi à Victor Hugo, dupe de « toutes les stupidités propres à ce XIXᵉ siècle » (II, 229), et lui oppose sa propre vérité : « Hélas ! du Péché Originel, même après tant de progrès depuis si longtemps promis, il restera toujours bien assez de traces pour en constater l'immémoriale réalité » (II, 224).

Baudelaire fut un pessimiste avant que le

mot ne devînt courant à la fin du siècle, grâce à son influence au premier chef :

> Demandez à tout bon Français qui lit tous les jours son journal dans son estaminet ce qu'il entend par progrès, il répondra que c'est la vapeur, l'électricité et l'éclairage au gaz, miracles inconnus aux Romains, et que ces découvertes témoignent pleinement de notre supériorité sur les anciens ; tant il s'est fait de ténèbres dans ce malheureux cerveau et tant les choses de l'ordre matériel et de l'ordre spirituel s'y sont si bizarrement confondues ! Le pauvre homme est tellement américanisé par ses philosophes zoocrates et industriels qu'il a perdu la notion des différences qui caractérisent les phénomènes du monde physique et du monde moral, du naturel et du surnaturel. (II, 580.)

Pas question d'appliquer la notion de progrès à la sphère de la moralité, car l'homme est toujours le même, à savoir l'homme naturel, c'est-à-dire abominable. Comme le note Baudelaire dans *Mon cœur mis à nu* :

> Théorie de la vraie civilisation.
> Elle n'est pas dans le gaz, ni dans la vapeur, ni dans les tables tournantes. Elle est dans la diminution des traces du péché originel. (I, 697.)

Bien sûr, ce qui scandalise tout particulièrement Baudelaire, c'est le dogme du progrès appliqué à l'art, comme si l'art moderne éliminait l'art du passé, lui retirait toute valeur, comme si l'art du passé n'était plus de l'art. Delacroix, quand « on lançait devant lui la grande chimère des temps modernes, le ballon-monstre de la perfectibilité et du progrès indéfinis », s'écriait avec colère : « Où sont donc vos Phidias ? où sont vos Raphaël ? » (II, 759). C'est pourquoi, non dupe du progrès, Delacroix fut le maître de Baudelaire.

6

La procrastination

Baudelaire fut l'homme des bilans. Il ne cessait d'en faire dans ses carnets et dans ses lettres, surtout quand il écrivait à sa mère. Il se promettait de changer d'existence, de renoncer au vin et au haschisch, de laisser sa maîtresse, de commencer une vie nouvelle, plus saine, plus sage, de s'installer enfin « d'une manière définitive », d'obtenir la levée du conseil judiciaire qui l'étranglait depuis les frasques de sa vingtième année. Il confiait à sa mère en décembre 1855, au seuil d'une autre année :

> Je suis absolument las de la vie de gargote et d'hôtel garni ; cela me tue et m'empoisonne. Je ne sais comment j'y ai résisté. [...]
> Ma chère mère, vous ignorez tellement ce que c'est qu'une existence de poète, que sans doute vous ne comprendrez pas grand-chose à cet argument-là ; c'est cependant là que gît ma principale frayeur ; je ne veux pas crever obscurément, je ne veux pas voir venir la vieillesse sans une vie régulière, je ne m'y résignerai

JAMAIS ; et je crois que ma personne est fort précieuse, je ne dirai pas plus précieuse que d'autres, mais suffisamment précieuse pour moi. (C, I, 327.)

La liste des domiciles de Baudelaire est effrayante. Il déménage tout le temps ; il cherche, sans succès, à quitter Jeanne Duval, « une pauvre femme que *je n'aime plus depuis longtemps que par devoir* », avouait-il à sa mère dès 1848 (C, I, 154). Il prend des résolutions qui ne sont jamais suivies d'effets, par exemple le 1er janvier 1865 :

Mon principal devoir, mon unique même serait de te rendre heureuse. J'y pense sans cesse. Cela me serait-il jamais permis ? [...] Je te promets d'abord que, cette année, tu n'auras à subir de ma part aucune demande de secours. [...] Je te promets aussi qu'aucune journée de l'année ne s'écoulera sans travail. (C, II, 432.)

Dépenser moins et travailler plus : ces promesses restent toujours vaines. Depuis que sa mère s'est retirée à Honfleur en 1857, il parle sans cesse de la rejoindre, mais les dettes, les billets, la cavalerie le retiennent à Paris, qui est pour lui à la fois le mal et le remède. Il multiplie les projets qui le remettraient à flot : romans, nouvelles, drames dont il dresse et redresse la liste illusoire des titres. Ainsi en 1861 : « Ma volonté est dans un état piteux, et si je ne pique pas, par hygiène, et malgré tout, une tête dans le travail, je suis perdu » (C, II, 123).

Dans les fragments de *Fusées*, il révèle sa lucidité de moraliste désabusé, mais dans ceux d'*Hygiène*, il prétend reprendre le contrôle de sa vie quotidienne, de son régime alimentaire, de son sommeil, il se croit capable de s'imposer une discipline afin de retrouver des conditions de vie propices à la création. Personne n'a plus parlé de travail que lui, ni autant imaginé son salut dans le travail :

> Plus on veut, mieux on veut.
> Plus on travaille, mieux on travaille, et plus on veut travailler. Plus on produit, plus on devient fécond. (I, 668.)
> Pour guérir de tout, de la misère, de la maladie et de la mélancolie, il ne manque absolument que le *Goût du Travail*. (I, 669.)
> Si tu travaillais tous les jours, la vie te serait plus supportable.
> Travaille *six* jours sans relâche. (I, 670.)

Le mot *travail* est partout chez Baudelaire, qui a toujours eu du mal à travailler et qui a peu écrit. Que pèse le mince recueil des *Fleurs du Mal* auprès de l'immense production de Victor Hugo ? Celui-ci publiait chaque année autant de vers que Baudelaire durant toute sa vie, sans compter les milliers de pages de ses romans à comparer aux cinquante *Petits Poèmes en prose* du *Spleen de Paris*. Baudelaire a été un écrivain rare, à qui la postérité a souvent reproché sa difficulté créatrice, son infécondité.

On se figure le dandy, le flâneur, comme un individu qui jouit de la vie, qui profite de l'instant. C'est tout le contraire : Baudelaire fut un mélancolique qui se reprochait son inaction, souffrait de sa paresse, détestait sa procrastination, et qui rêvait de produire. Dès 1847, jeune encore, il analysait parfaitement son état : « Supposez une oisiveté perpétuelle commandée par un malaise perpétuel, avec une haine profonde de cette oisiveté » (C, I, 142). *Spleen et Idéal,* suivant l'opposition qui structure *Les Fleurs du Mal,* c'est la douleur et le travail. Baudelaire fait sans relâche l'éloge du travail, s'encourage à la besogne, mais le destin du poète était de rechigner au travail, de différer toujours de s'y mettre.

Dans *Le Cygne,* les mots Travail et Douleur portent la majuscule. Le travail, comme dans les maximes que Baudelaire se donne dans ses écrits intimes, c'est à la fois la douleur et le remède à la douleur, au spleen, à la mélancolie. Baudelaire désire travailler pour de bon, vivre mieux pour travailler plus, mais jamais il n'y parvient. Dans *Hygiène* encore :

À Honfleur ! le plus tôt possible, avant de tomber plus bas.

Que de pressentiments et de signes envoyés déjà par Dieu, qu'il est *grandement temps* d'agir, de considérer la minute présente comme la plus importante des minutes, et de faire ma *perpétuelle volupté* de mon tourment ordinaire, c'est-à-dire du Travail ! (I, 668.)

Il écrit à sa mère en juillet 1861 : « De tous les rêves littéraires à accomplir à Honfleur, je ne t'en parle pas. Ce serait trop long. [...] vingt sujets de romans, deux sujets de drames, et un grand livre sur *moi-même*, mes *Confessions* » (C, II, 182). Et encore en mars 1866, dans l'une de ses dernières lettres : « Mon installation à Honfleur a toujours été le plus cher de mes rêves » (C, II, 626) — projet qui sera resté un château en Espagne.

L'œuvre de Baudelaire est mince, mais la valeur ne se mesure pas au volume. Un moment vint où les rares poèmes de Baudelaire dépassèrent les milliers de vers de ses rivaux. Et son accablement, sa procrastination — le cycle de la paresse, du désœuvrement, de l'infécondité et de l'échec — n'étaient-ils pas, après tout, la condition indispensable de la réussite de son œuvre ?

7

Spleen

J'ai plus de souvenirs que si j'avais mille ans.

Un gros meuble à tiroirs encombré de bilans,
De vers, de billets doux, de procès, de romances,
Avec de lourds cheveux roulés dans des quittances,
Cache moins de secrets que mon triste cerveau.
C'est une pyramide, un immense caveau,
Qui contient plus de morts que la fosse commune.
— Je suis un cimetière abhorré de la lune,
Où comme des remords se traînent de longs vers
Qui s'acharnent toujours sur mes morts les plus chers.
Je suis un vieux boudoir plein de roses fanées,
Où gît tout un fouillis de modes surannées,
Où les pastels plaintifs et les pâles Boucher,
Seuls, respirent l'odeur d'un flacon débouché.

Ce poème, le deuxième *Spleen* des *Fleurs du Mal*, je crois bien que c'est la première poésie de Baudelaire que j'ai lue ou à laquelle j'ai été sensible ; je me souviens comme si c'était hier du jour où, en classe de première, notre professeur nous la donna à commenter, et du choc que je ressentis. Qu'est-ce donc qui me bouleversa sur le moment ? Je dirais aujourd'hui que c'est la série des comparaisons déconcertantes, toutes ces identifications matérielles et concrètes : le poète assimile sa mémoire à un gros meuble à tiroirs, à une pyramide, à un cimetière, à un boudoir. Puis ces réservoirs de souvenirs se résument dans la rime brutale qui rapproche *cerveau* et *caveau*.

Baudelaire signalait dans une note auto-biographique : « ENFANCE : Vieux mobilier Louis XVI, antiques, consulat, pastels, société dix-huitième siècle » (I, 784). Le grenier du deuxième *Spleen* est le monde de son père, familier de l'Ancien Régime. Et le poète n'a pas d'avenir ; le passé obsède le présent de tout son poids, en prend possession, le paralyse, le pétrifie.

Ensuite, m'avait sans doute frappé la dimension millénaire ou la profondeur immémoriale que prend la mémoire du poète, remontant non seulement au XVIIIe siècle de Boucher comme exemple du démodé, mais à l'Égypte des pharaons. Le spleen, l'ennui atteignent la démesure de l'éternité. C'est un peu comme si le poète était lui aussi déjà mort et que cela n'y changeait rien, ou comme si, vivant avec les morts, il était condamné à ne jamais mourir, à vivre pour toujours comme s'il était déjà mort, sans jamais trouver la paix.

Ce fantasme, « l'angoisse de ne pouvoir mourir », est présent dans de nombreux poèmes des *Fleurs du Mal*. La vie pourrait bien se prolonger « sempiternellement », comme dans *Le Squelette laboureur*, où « dans la fosse même / Le sommeil promis n'est pas sûr » et « tout, même la Mort, nous ment ». Cette condamnation à ne jamais mourir rappelle le mythe du Juif errant, forcé de marcher jusqu'à la fin des temps. « La mort, écrivait John E. Jackson, ne serait qu'une illusion et la vie posthume ne serait que la perpétuation de la vie, ne serait que le prolongement de l'attente à laquelle les vivants sont condamnés. » C'est ce que le poète observe lors de « la terrible aurore » qui suit la mort dans *Le Rêve d'un curieux* : « La toile était levée et j'attendais encore », comme un rideau de théâtre qui n'ouvre sur rien. Baudelaire confiait ainsi à sa mère en 1860 : « Je me sens malheureusement condamné à vivre [...] depuis des années qui pour moi ont été des siècles » (C, II, 25).

Rien n'égale en longueur les boiteuses journées,
Quand sous les lourds flocons des neigeuses années
L'ennui, fruit de la morne incuriosité,

Prend les proportions de l'immortalité.
— Désormais tu n'es plus, ô matière vivante !
Qu'un granit entouré d'une vague épouvante,
Assoupi dans le fond d'un Sahara brumeux ;
Un vieux sphinx ignoré du monde insoucieux,
Oublié sur la carte, et dont l'humeur farouche
Ne chante qu'aux rayons du soleil qui se couche.

La vie est devenue aussi lourde, aussi pesante, aussi disproportionnée que la pierre des pyramides. L'ennui, le spleen envahissent le temps et le transforment en éternité. Et pourtant, perdu au fond du désert, le poète est encore comparé à un « vieux sphinx » capable de lancer un dernier chant lorsque le soleil disparaît dans le crépuscule du soir, comme la statue de Memnon. Dans la déréliction, le poète chante encore, et il reste ce poème, monument ultime. Malgré le désespoir d'exister sans cesse, subsiste l'espérance de survivre dans l'œuvre d'art, dans le poème.

8

De l'éreintage

Baudelaire était un homme violent (Sartre, qui lui reprochait d'avoir été un révolté et non pas un révolutionnaire, devait parler de sa « violence hyperbolique ») ; ce poète était un homme en colère, un vitupérateur. Il pensait que la vie était une lutte incessante, et la vie littéraire ou artistique, une guerre. En 1846, à vingt-cinq ans, il donnait des *Conseils aux jeunes littérateurs*, comme s'il était déjà un vieux sage ou un ancien combattant, un vétéran. Et, parmi ses conseils, l'« éreintage », comme il disait (« éreintement » étant sans doute trop doux), occupait une place de choix. En matière de critique, il avait certes quelques sympathies, mais surtout des antipathies, et il était partisan de la franchise, de la « ligne droite, qui est le plus court chemin » :

> Elle consiste à dire : « M. X... est un malhonnête homme, et de plus un imbécile ; c'est ce que je vais

prouver », — et de le prouver ! primo — secundo — tertio, — etc... Je recommande cette méthode à tous ceux qui ont la foi de la raison et le poing solide. (II, 16-17.)

Baudelaire ne manqua pas d'éreinter ses contemporains, de les bousculer, de les insulter, en particulier dans sa critique d'art (on en verra des exemples), mais il savait que la méthode avait ses dangers et risquait de se retourner contre l'éreinteur, comme cela lui arriva, par exemple, quand il s'en prit au clan des hugoliens :

> Un éreintage manqué est un accident déplorable ; c'est une flèche qui se retourne, ou au moins vous dépouille la main en partant, une balle dont le ricochet peut vous tuer. (II, 17.)

Ce poète s'est beaucoup battu, notamment en 1848 dans les rues de Paris et sur les barricades, mais il insistait sur la nécessité d'économiser ses haines et de les concentrer :

> Un jour, pendant une leçon d'escrime, un créancier vint me troubler ; je le poursuivis dans l'escalier à coups de fleuret. Quand je revins, le maître d'armes, un géant pacifique qui m'aurait jeté par terre en soufflant sur moi, me dit : « Comme vous prodiguez votre antipathie ! un poète ! un philosophe ! ah fi ! » — J'avais perdu le temps de faire deux assauts, j'étais essoufflé, honteux, et méprisé par un homme de plus, — le créancier, à qui je n'avais pas fait grand mal. (II, 16.)

La vie, en particulier la vie littéraire, est une escrime, une boxe, suivant les images consacrées, et il faut avoir « le poing solide », rappelait Baudelaire. Dans le *Salon de 1846*, il citait le titre d'un chapitre de Stendhal dans son *Histoire de la peinture en Italie* : « Comment l'emporter sur Raphaël ? » (II, 457), et il l'appliquait à un peintre orientaliste contemporain : « M. Decamps, armé d'un crayon, voulut lutter avec Raphaël et Poussin » (II, 450).

Baudelaire avait vite appris que la violence ne doit pas être gratuite, qu'il ne faut pas gaspiller ses haines, mais les dépenser avec parcimonie. Pourtant, de Bruxelles, en 1864, il écrivit encore à son ami Nadar, le photographe :

> Croiras-tu que *moi*, j'aie pu *battre* un Belge ? C'est incroyable n'est-ce pas ? Que je puisse battre quelqu'un, c'est absurde. Et ce qu'il y avait de plus monstrueux encore, c'est que j'étais complètement dans mon tort. Aussi, l'esprit de justice reprenant le dessus, j'ai couru après l'homme pour lui faire des excuses. Mais je n'ai pas pu le retrouver. (C, II, 401.)

On ignore la raison de cette bagarre, mais on l'imagine à la porte d'un cabaret, dans la rue, après boire, ou avant, comme dans le poème en prose *Assommons les pauvres !* Le poète, après avoir lu des livres socialistes sur l'égalité et la fraternité, donne une raclée apparemment gratuite à un mendiant :

> D'un seul coup de poing, je lui bouchai un œil, qui devint, en une seconde, gros comme une balle. Je cassai un de mes ongles à lui briser deux dents.

Toutefois, c'est afin de lui apprendre à vivre moins passivement, à se redresser, à se saisir de son destin, et la leçon porte aussitôt ses fruits :

> Tout à coup [...] le malandrin décrépit se jeta sur moi, me pocha les deux yeux, me cassa quatre dents, et [...] me battit dru comme plâtre. — Par mon énergique médication, je lui avais donc rendu l'orgueil et la vie.

Le poète s'est attaqué au mendiant afin de l'inciter à se révolter, pour lui donner une leçon d'énergie. Comme dans une caricature de Daumier, Baudelaire se moque des philanthropes qui pensent que l'homme est né bon, qui rendent la société responsable de la pauvreté, et qui entreprennent de régénérer les pauvres par les bons sentiments et les bonnes paroles. Une variante du poème visait Pierre-Joseph Proudhon, le socialiste utopiste. Pour s'exprimer, Baudelaire, lui, recourt à la violence, à la provocation qui fait aussi la force de son œuvre.

9

Le miroir

Baudelaire n'était pas un démocrate. En 1848, il s'enthousiasma pour la Révolution et parcourut les rues de Paris en s'écriant : « Il faut aller fusiller le général Aupick ! » Son beau-père commandait alors l'École polytechnique, haut lieu de la protestation contre le régime de Louis-Philippe. Pourtant, il devait vite déchanter. Le coup d'État de 1851 le choqua, et surtout le plébiscite qui le ratifia bientôt. Il disait, après les élections législatives de février et mars 1852 : « Vous ne m'avez pas vu au vote [...]. LE 2 DÉCEMBRE m'a *physiquement dépolitiqué*. [...] Si j'avais voté, je n'aurais pu voter que pour moi » (C, I, 188). Comme beaucoup d'intellectuels, il en conçut une méfiance définitive à l'égard du suffrage universel direct, qui avait rendu la dictature légitime.

Dans les notes prises en Belgique à la fin de

sa vie, il comparera le suffrage universel à un face-à-face de l'homme avec lui-même :

> (Rien de plus ridicule que de chercher la vérité dans le nombre.)
> Le suffrage universel et les tables tournantes. C'est l'homme cherchant la vérité dans l'homme (!!!) (II, 903.)

Les tables tournantes et le suffrage universel, c'étaient deux lubies de Victor Hugo, l'une rationnelle et l'autre irrationnelle, mais aussi absurdes l'une que l'autre car elles méconnaissaient la misère de l'homme, comme disait Pascal, et témoignaient de son orgueil, de son illusion qu'il pût trouver la vérité tout seul, par lui-même et en lui-même.

Dans un court poème en prose du *Spleen de Paris*, *Le Miroir*, la souveraineté populaire est tournée en dérision :

> Un homme épouvantable entre et se regarde dans la glace.
> « — Pourquoi vous regardez-vous au miroir, puisque vous ne pouvez vous y voir qu'avec déplaisir ? »
> L'homme épouvantable me répond : « — Monsieur, d'après les immortels principes de 89, tous les hommes sont égaux en droits ; donc je possède le droit de me mirer ; avec plaisir ou déplaisir, cela ne regarde que ma conscience. »
> Au nom du bon sens, j'avais sans doute raison ; mais, au point de vue de la loi, il n'avait pas tort.

Dans cette fable, l'homme épouvantable, c'est l'homme éternel, non pas l'homme bon de Rousseau, auquel Baudelaire ne croit pas, mais l'homme déchu, marqué par le péché originel. Or il a désormais tous les droits, les droits de l'homme. Baudelaire se moque ouvertement des « immortels principes de 89 » qui donnent à chacun le droit de se regarder dans la glace. Sous l'Ancien Régime, un miroir était un objet de luxe, l'apanage de la noblesse, mais l'industrie répand désormais à bon marché la faculté de se regarder, de s'admirer. Comme l'observait Jean Starobinski, « le regard au miroir est le *privilège* aristocratique de l'individu qui sait se faire le comédien de soi-même », c'est-à-dire se dédoubler, se regarder comme un autre, comme un dandy, non pas se perdre comme Narcisse dans la contemplation de soi. La démocratisation du miroir est donc pour Baudelaire un « véritable sacrilège », à la fois un scandale politique et une hérésie métaphysique.

Par le suffrage universel, l'homme cherche la vérité dans le nombre comme dans un miroir. Le bref apologue du *Miroir* ridiculise la démocratie, fondée sur l'idée de la bonne nature. Ce poème est une satire ou plutôt un sarcasme anti-égalitaire, inspiré par la pensée de Joseph de Maistre, le penseur contre-révolutionnaire que Baudelaire découvrit à l'époque du coup d'État et qui, comme il le dit, lui apprit, avec Edgar Poe, « à raisonner » (I, 669).

Cette pensée est conforme à ce que Baudelaire décrétait encore dans un sévère fragment de *Mon cœur mis à nu* :

> Ce que je pense du droit de vote et du droit d'élections. Des droits de l'homme. [...]
> Vous figurez-vous un Dandy parlant au peuple, excepté pour le bafouer ?
> Il n'y a de gouvernement raisonnable et assuré que l'aristocratique.
> Monarchie ou république basées sur la démocratie sont également absurdes et faibles. (I, 684.)

Le Miroir, c'est l'homme des droits de l'homme bafoué par le dandy. L'attitude de Baudelaire est représentative de celle de beaucoup d'écrivains qui, sous le second Empire, pleins de ressentiment contre le peuple votant pour le tyran, jugeaient qu'ils auraient dû jouir de plus d'une voix, et, puisque ce n'était pas le cas, ne votaient pas.

10

Paris

Baudelaire fut le contemporain des grands travaux de Paris réalisés par Haussmann au service de Napoléon III ; il fut le témoin de la destruction des quartiers médiévaux, dont cette rue Hautefeuille où il avait vu le jour ; il observa le percement des boulevards destinés, disait-on, à faire monter la troupe et à empêcher l'érection des barricades comme en 1848. Les superbes photographies de Charles Marville, qui enregistrèrent les transformations de la capitale sous le second Empire, se présentent comme des commentaires de certains poèmes de Baudelaire.

Celui-ci regretta la perte de la mémoire du vieux Paris, comme il le confia dans *Le Cygne*, l'un des plus beaux poèmes des *Tableaux parisiens*, ajouté aux *Fleurs du Mal* en 1861 et décrivant le « nouveau Carrousel », après la démolition du quartier populaire qui s'étendait entre le Louvre et les Tuileries :

> Le vieux Paris n'est plus (la forme d'une ville
> Change plus vite, hélas ! que le cœur d'un mortel).

La disparition de la ville ancienne exaspérait le spleen du poète, le rendait complice de tous les exilés, les orphelins, les victimes du monde moderne :

> Paris change ! mais rien dans ma mélancolie
> N'a bougé ! palais neufs, échafaudages, blocs,
> Vieux faubourgs, tout pour moi devient allégorie,
> Et mes chers souvenirs sont plus lourds que des rocs.

Au renouvellement de la capitale, Baudelaire opposait la pesanteur de la mémoire. Plusieurs poèmes en prose du *Spleen de Paris* s'attachent aux transformations du paysage urbain : *Les Yeux des pauvres* décrivent les nouveaux cafés des boulevards avec leurs vastes terrasses où se retrouvent les dandies et les actrices, sous l'éclairage au gaz qui fait désormais de Paris la « ville-lumière » ; *Les Veuves* mettent en scène les jardins publics et les kiosques à musique ; *Perte d'auréole* peint les dangers de la circulation sur les boulevards où la foule déambule dans la cohue des voitures.

En 1861, Baudelaire comparait Paris avec la ville qu'il avait connue vingt ans plus tôt :

> Paris n'était pas alors ce qu'il est aujourd'hui, un tohu-bohu, un capharnaüm, une Babel peuplée d'imbéciles et d'inutiles, peu délicats sur les manières de tuer le temps, et absolument rebelles aux jouissances littéraires. Dans ce temps-là le *tout Paris* se composait de cette élite d'hommes chargés de façonner l'opinion des autres. (II, 162.)

En vingt ans, la ville élégante, distinguée, serait devenue une ville démocratique ; le Paris ordonné et aristocratique de la Restauration et de la monarchie de Juillet aurait pris l'allure d'un tohu-bohu ou d'une Babel, images qui renvoient au chaos de la civilisation de masse. Baudelaire présente cette rupture comme une décadence. Non pas une organisation plus rationnelle de l'espace urbain, traversé de larges artères vivement éclairées qui éliminent les labyrinthes moyenâgeux, mais une désagrégation dont Paris serait sorti tout déboussolé.

En quelques années, l'épicentre de la vie parisienne s'est déplacé du Palais-Royal, présenté depuis le XVIIe siècle comme un louche capharnaüm de maisons de jeu et de prostitution, comme dans le fameux *Tableau de Paris* de Louis-Sébastien Mercier, vers les boulevards, mais Baudelaire voit autrement cette mutation de la géographie culturelle de la capitale. Pour lui, la vie littéraire a dépéri au profit de loisirs plus égalitaires.

L'image du chaos figurait déjà dans le *Salon de 1846*, pour décrire la peinture moderne, « turbulence, tohu-bohu de styles et de couleurs, cacophonie de tons, trivialités énormes, prosaïsme de gestes et d'attitudes, noblesse de convention, poncifs de toutes sortes » (II, 490). La modernité, en somme, c'est le tintamarre et le charivari. Dans le poème en prose *Un plaisant*, un second terme redouble le « tohu-bohu » urbain, celui de « vacarme ». La clameur retentissante sature la ville moderne.

La nouvelle métropole se caractérise d'abord par le bruit, comme dans *À une passante* où la rue elle-même, personnifiée, pousse un hurlement : « La rue assourdissante autour de moi hurlait. » Au fourmillement visuel de la ville répond sa violence sonore, son cri infernal. C'est pourquoi le Paris d'Haussmann est comparé à Babel, la cité biblique maudite. La ville moderne est apocalyptique et satanique. Elle défait la création, l'ordre divin, pour faire renaître la confusion, le chaos primitif.

Et pourtant Baudelaire adore Paris, ne peut

pas s'en passer, le quitter. Paris est sa drogue, à la fois le mal et le remède : « Je t'aime, ô capitale infâme ! », s'écrie-t-il dans un projet d'épilogue des *Fleurs du Mal*.

11

Génie et bêtise

Une lettre de Baudelaire est passée en vente le 18 juin 2014 chez Christie's à New York. Adressée en janvier 1860 à Auguste Poulet-Malassis, l'éditeur des *Fleurs du Mal* et l'ami de Baudelaire, elle était connue depuis 1887 (C, I, 654-656). Il y est question d'une visite de Charles Meryon, le peintre et graveur, ancien officier de marine et grand fou, dont Baudelaire admirait les eaux-fortes qui donnaient aux monuments parisiens une allure fantastique. Cette lettre se poursuivait toutefois dans un post-scriptum que l'éditeur de 1887, Eugène Crépet, n'avait pas osé reproduire. On verra pourquoi.

« V. Hugo continue à m'envoyer des lettres stupides », confiait Baudelaire à Poulet-Malassis. Puis il avait écrit quelques mots qu'il avait ensuite soigneusement biffés, si minutieuse-

ment qu'ils restent à peu près illisibles. Reprenant la plume, il avait alors expliqué à son
correspondant :

> J'efface le mot trop grossier que je viens d'écrire
> pour dire simplement que *j'en ai assez*. Cela m'inspire
> tant d'ennui, que je serais disposé à écrire un essai
> pour prouver que, par une loi fatale, le *génie* est tou-
> jours *bête*.

Nous ignorerons le « mot trop grossier » de
Baudelaire sur Victor Hugo, mais non pas son
irritation. Nulle meilleure illustration des relations compliquées de Baudelaire avec Hugo,
qu'il admire et qui en même temps l'agace, par
sa fécondité, par sa naïveté, par ses enthou-
siasmes, comme sa croyance dans le progrès
et sa confiance dans l'occultisme (« le suffrage
universel et les tables tournantes »). Avec Hugo,
comme avec Sainte-Beuve, il y a toujours de
la duplicité ou même de l'hypocrisie dans le
comportement de Baudelaire. Il les flatte, mais
se moque d'eux derrière leur dos.

Il vient en effet, au début de décembre
1859, d'envoyer à Hugo un poème : « Voici des
vers faits pour vous et en pensant à vous. Il ne
faut pas les juger avec vos yeux trop sévères,
mais avec vos yeux paternels » (C, I, 622). Il
s'agit de l'un des plus beaux poèmes composé

en 1859 pour les *Tableaux parisiens*, *Le Cygne*, qui sera dédié à Hugo dans l'édition des *Fleurs du Mal* de 1861 : « Veuillez agréer mon petit symbole comme un très faible témoignage de la sympathie et de l'admiration que m'inspire votre génie » (C, I, 623).

Sympathie, admiration, génie : Baudelaire n'y va pas de main morte, mais le remerciement de Hugo dut l'exaspérer. Hugo lui écrivit de Hauteville House, le 18 décembre 1859 :

> Comme tout ce que vous faites, Monsieur, votre *Cygne* est une idée. Comme toutes les idées vraies, il a des profondeurs. Ce cygne dans la poussière a sous lui plus d'abîmes que le cygne des eaux sans fond du lac de Gaube. Ces abîmes, on les entrevoit dans vos vers d'ailleurs pleins de frissons et de tressaillements. *La muraille immense du brouillard, la douleur, comme une bonne louve,* cela dit tout, et plus que tout. Je vous remercie de ces strophes si pénétrantes et si fortes.

Hugo réagissait à l'une des images les plus hardies de Baudelaire sur les transformations de Paris qui avaient détruit le quartier du Carrousel :

> Un cygne qui s'était évadé de sa cage,
> Et, de ses pieds palmés frottant le pavé sec,
> Sur le sol raboteux traînait son blanc plumage.
> Près d'un ruisseau sans eau la bête ouvrant le bec

Baignait nerveusement ses ailes dans la poudre,
Et disait, le cœur plein de son beau lac natal :
« Eau, quand donc pleuvras-tu ? quand tonneras-tu, foudre ? »

Qu'est-ce qui avait tant fâché Baudelaire dans la lettre d'Hugo ? Sans doute le côté convenu du compliment. Sous la plume d'Hugo, les mots *idée, profondeur, frisson, tressaillement, pénétration, force*, sonnaient comme des clichés. Et l'allusion au lac de Gaube, qu'Hugo avait visité dans les Pyrénées, en 1843, réduisait l'allégorie du cygne à un détail réaliste.

Hugo, aux yeux de Baudelaire, prouvait la proximité du génie et de la bêtise. Baudelaire savait bien que lui-même manquait de cette dose de bêtise indispensable à la facilité de la création, parce qu'elle permet d'oublier de se surveiller, de se critiquer, de se censurer.

Créer des poncifs, c'est le génie.
Je dois créer un poncif. (I, 662.)

Cette résolution figure dans *Fusées* : Baudelaire se prescrivait à lui-même de créer des poncifs, comme Hugo les produisait à foison, mais il était trop intelligent pour cela, et il nous a laissé des paradoxes.

Après tout, le « mot trop grossier » de Baudelaire sur Hugo n'est peut-être pas aussi illisible que je l'avais cru. Y revenant, aidé, je lis sous les fines hachures : « Vraiment il m'emmerde. » Voilà comment le poète du *Cygne* s'exprimait en privé sur le poète des *Contemplations*.

Perte d'auréole

Dans le Paris d'Haussmann, le « Boulevard », avec une majuscule et sans plus de précision, c'est la partie la plus animée des grands boulevards, le boulevard des Italiens entre la rue de la Chaussée-d'Antin et la rue de Richelieu. La foule s'y presse, innombrable au milieu des voitures. Le carrefour le plus dangereux, surnommé le « carrefour des écrasés », c'est celui du boulevard Montmartre, des rues Montmartre et du Faubourg-Montmartre ; c'est aussi la frontière entre les commerces plus élégants, à l'ouest, et plus populaires, comme on va vers l'est, jusqu'au fameux « boulevard du crime » qu'Haussmann fera démolir en 1862 pour ouvrir l'actuelle place de la République. C'est sur le Boulevard avec la majuscule, près du « carrefour des écrasés », que l'on imagine la mésaventure qui advient au poète dans *Perte d'auréole*, poème en prose du *Spleen de Paris* qui se présente sous la forme d'un dialogue :

> — Mon cher, vous connaissez ma terreur des chevaux et des voitures. Tout à l'heure, comme je traversais le boulevard, en grande hâte, et que je sautillais dans la boue, à travers ce chaos mouvant où la mort arrive au galop de tous les côtés à la fois, mon auréole, dans un mouvement brusque, a glissé de ma tête dans la fange du macadam. Je n'ai pas eu le courage de la ramasser. J'ai jugé moins désagréable de perdre mes insignes que de me faire rompre les os. Et puis, me suis-je dit, à quelque chose malheur est bon. Je puis maintenant me promener incognito, faire des actions basses, et me livrer à la crapule, comme les simples mortels. Et me voici, tout semblable à vous, comme vous voyez !

Dans la cohue du boulevard, l'auréole, signe distinctif du poète sacré, du prophète de vérité depuis l'Antiquité, tombe dans la « fange du macadam ». Baudelaire emploie un mot nouveau, un terme technique emprunté à l'anglais, pour désigner la chaussée par son revêtement. Il n'y a plus de place pour le poète dans la ville et dans la vie modernes, leur tohu-bohu et leur chaos. Le poète est désormais comme tout le monde, dégradé, rabaissé, humilié, méconnaissable. Le dialogue se poursuit :

> — Vous devriez au moins faire afficher cette auréole, ou la faire réclamer par le commissaire.
> — Ma foi ! non. Je me trouve bien ici. Vous seul,

vous m'avez reconnu. D'ailleurs la dignité m'ennuie. Ensuite je pense avec joie que quelque mauvais poète la ramassera et s'en coiffera impudemment. Faire un heureux, quelle jouissance ! et surtout un heureux qui me fera rire ! Pensez à X, ou à Z ! Hein ! comme ce sera drôle !

Le poète, désabusé, réagit à sa déchéance avec ironie, rire jaune ou humour noir ; il montre du mépris pour ceux qui croient que l'on peut encore se comporter en poète dans le monde contemporain, comme son ancien camarade Maxime Du Camp, qui fait l'éloge du gaz, de l'électricité et de la photographie dans ses *Chants modernes*. L'ironie est le dernière ruse de la mélancolie. Baudelaire apprécie « l'ironie criarde des anciennes *Danses macabres* et des images allégoriques du Moyen Âge » (C, I, 535). *Perte d'auréole* est une sorte de danse macabre, une allégorie de la situation du poète dans le monde moderne. On la verrait bien illustrée par une caricature de Daumier, à la fois cruelle et tendre.

Dans *Fusées*, Baudelaire avait cependant ébauché une version plus angoissée de la chute du poète en pleine rue :

Comme je traversais le boulevard, et comme je mettais un peu de précipitation à éviter les voitures, mon auréole s'est détachée et est tombée dans la boue du macadam. J'eus heureusement le temps de la ramasser ; mais cette idée malheureuse se glissa un instant après dans mon esprit, que c'était un mauvais présage ; et dès lors l'idée n'a plus voulu me lâcher ; elle ne m'a laissé aucun repos de toute la journée. (I, 659.)

En passant du récit désastreux de *Fusées* au tableau satirique du *Spleen de Paris*, le poème en prose a permis à Baudelaire de surmonter l'humiliation ressentie par l'artiste moderne et de la transformer en affirmation de sa supériorité par rapport à ses contemporains, encore dupes, eux, des prestiges de la poésie. Baudelaire a été l'un des plus lucides observateurs de la désacralisation de l'art dans le monde moderne.

13

La passante

La rue assourdissante autour de moi hurlait.
Longue, mince, en grand deuil, douleur majestueuse,
Une femme passa, d'une main fastueuse
Soulevant, balançant le feston et l'ourlet ;

Agile et noble, avec sa jambe de statue.
Moi, je buvais, crispé comme un extravagant,
Dans son œil, ciel livide où germe l'ouragan,
La douceur qui fascine et le plaisir qui tue.

Un éclair... puis la nuit ! — Fugitive beauté
Dont le regard m'a fait soudainement renaître,
Ne te verrai-je plus que dans l'éternité ?

Ailleurs, bien loin d'ici ! trop tard ! *jamais* peut-être !
Car j'ignore où tu fuis, tu ne sais où je vais,
Ô toi que j'eusse aimée, ô toi qui le savais !

Avec la passante, Baudelaire a créé, ou défi-
nitivement consacré, l'un des grands mythes
féminins modernes, celui de la femme incon-
nue, inaccessible, aperçue hâtivement dans la
foule, et perdue de vue aussitôt, emportée par
le mouvement, par la vitesse, puis longtemps

désirée, peut-être toujours, et jamais retrouvée. C'est un fantasme moderne, parce que la société, autrefois, n'était pas anonyme, parce que l'on connaissait ou reconnaissait les gens que l'on croisait dans la grand-rue, parce que l'on vivait dans son quartier, en sortait peu, et qu'une femme rencontrée par hasard n'échappait pas longtemps à sa recherche par l'homme que son passage avait troublé.

Nombreux sont les témoignages inquiets sur la déperdition de l'identité dans les grandes métropoles, comme Paris et Londres, au XIXe siècle. C'est la précipitation de la rue, la cohue du boulevard, le vacarme de la multitude qui entraînent le poète et la femme charmante loin l'un de l'autre. Comme dans un roman, une jeune fille est repérée dans un train à l'arrêt dans une gare, un regard est vite échangé, un coup d'œil est donné, mais le train démarre sur-le-champ en sens inverse de celui dans lequel l'observateur reste immobilisé, et il en est réduit au désir et à la nostalgie. Des passantes, on en trouvera après Baudelaire dans toute la littérature. Sa « fugitive beauté » annonce celle d'Odette ou d'Albertine, les femmes du roman de Proust, qualifiées d'« êtres de fuite », à jamais impossibles à fixer, à retenir prisonnières.

Or cette femme est une veuve. Belle, hiératique, souveraine, occupée dans ses pensées, pensive et penchée, elle traverse la chaussée comme si elle était inconsciente de la séduction qu'elle exerce. Mais elle le sait.

Et elle est vêtue de noir. Le noir, écrit Baudelaire dans le *Salon de 1846*, c'est « la pelure du héros moderne », « l'habit nécessaire de notre époque, souffrante et portant jusque sur ses épaules noires et maigres le symbole d'un deuil perpétuel » (II, 494). Baudelaire décrit la nouvelle tenue uniforme des hommes sur les boulevards. En noir, il y a donc quelque chose de masculin, de viril, chez les veuves. À l'époque, seules les veuves sont en effet des femmes libres. Elles ne sont plus soumises ni à leur père ni à leur mari ; elles sont maîtresses d'elles-mêmes. La jeune veuve, vivant sa vie comme elle l'entend, c'est aussi un fantasme qui traverse toute la littérature du siècle ; elle a des désirs et elle jouit de son indépendance.

Cette veuve, pauvre mais fière, on la retrouve dans le poème en prose *Les Veuves* du *Spleen de Paris*, dans un jardin public, où elle écoute un concert : c'est cette fois encore « une femme grande, majestueuse, et si noble dans tout son air, que je n'ai pas souvenir d'avoir vu sa pareille dans les collections des aristocratiques beautés du passé ».

Le poète admire cette « grande veuve ». Devant elle, on pense d'autant plus à la mère de Baudelaire qu'elle « tenait par la main un enfant comme elle vêtu de noir ». La grande veuve avec un petit garçon, tous deux en noir, comme dans un tableau de Manet ou un dessin de Gavarni.

Ainsi, dans *À une passante*, plusieurs thèmes baudelairiens essentiels se croisent : la ville moderne, où les hommes et les femmes perdent leur identité dans la foule et le bruit (Baudelaire recourt souvent à l'image de la fourmilière pour décrire la multitude) ; la femme idéale, inatteignable, sculpturale ; la douleur, la tristesse, la mélancolie, qui sont inséparables de la beauté ; enfin l'effet de la femme sur le poète, « crispé », « extravagant », hystérique, incapable.

14

Delacroix

Après Diderot et Stendhal, avant Apollinaire et Breton, Baudelaire fut l'un de ces écrivains modernes que la peinture passionna et qui s'érigèrent en passeurs de l'art contemporain. Les artistes avaient besoin d'eux, car leurs œuvres devenaient difficiles (la difficulté étant un caractère de l'art moderne), et les écrivains tentèrent de les expliquer au public.

« Glorifier le culte des images (ma grande, mon unique, ma primitive passion) », confie Baudelaire dans *Mon cœur mis à nu* (I, 701). Cette exaltation lui venait de loin. Son père, François Baudelaire, était qualifié de « peintre » sur l'acte de naissance du futur poète, lequel montra toujours de la curiosité pour les arts et fut un excellent dessinateur, doué pour la caricature.

Son admiration pour Delacroix est ancienne.

Elle était déjà affirmée à l'hôtel Pimodan, où il séjourna sur l'île Saint-Louis à partir de 1843 et où il possédait des lithographies de la série consacrée à Hamlet, ainsi qu'une copie des *Femmes d'Alger* (musée du Louvre) par son ami Émile Deroy. Dès son premier *Salon*, en 1845, Delacroix est son héros :

> M. Delacroix est décidément le peintre le plus original des temps anciens et des temps modernes. Cela est ainsi, qu'y faire ? Aucun des amis de M. Delacroix, et des plus enthousiastes, n'a osé le dire simplement, crûment, impudemment, comme nous. [...] M. Delacroix restera toujours un peu contesté, juste autant qu'il faut pour ajouter quelques éclairs à son auréole. Et tant mieux ! Il a le droit d'être toujours jeune, car il ne nous a pas trompés, lui, il ne nous a pas menti comme quelques idoles ingrates que nous avons portées dans nos panthéons. (II, 353.)

Delacroix est *romantique* et il est *coloriste*, et ces deux qualités font de lui l'artiste moderne par excellence, mais cela n'exclut pas qu'il soit aussi un grand dessinateur, l'égal des meilleurs, ni qu'il puisse rivaliser avec les artistes les plus classiques :

> Nous ne connaissons, à Paris, que deux hommes qui dessinent aussi bien que M. Delacroix, l'un d'une manière analogue, l'autre dans une méthode contraire. — L'un est M. Daumier, le caricaturiste ; l'autre, M. Ingres, le grand peintre, l'adorateur rusé

de Raphaël. [...] Daumier dessine peut-être mieux que Delacroix, si l'on veut préférer les qualités saines, bien portantes, aux facultés étranges et étonnantes d'un grand génie malade de génie ; M. Ingres, si amoureux du détail, dessine peut-être mieux que tous les deux, si l'on préfère les finesses laborieuses à l'harmonie de l'ensemble, et le caractère du morceau au caractère de la composition, mais [...] aimons-les tous les trois. (II, 356.)

Daumier et Ingres étaient absents du Salon en 1845, mais Baudelaire a toujours été intéressé par les caricatures, qui, dit-il, « sont souvent le miroir le plus fidèle de la vie » (II, 544), c'est-à-dire de la vie moderne, de la mode dans ce qu'elle a de fugitif et d'éternel. Et il est assez équitable pour aimer Delacroix tout en reconnaissant la grandeur d'Ingres et en surmontant l'opposition stéréotypée du dessin et de la couleur.

Les artistes doivent exprimer leur temps : c'est la grande idée de Baudelaire, qui traverse toute son œuvre, et Delacroix, même quand il représente *Dante et Virgile aux enfers* (musée du Louvre), est moderne, par la « mélancolie singulière et opiniâtre qui s'exhale de toutes ses œuvres » (II, 440). Delacroix est moderne parce qu'il est le peintre de la douleur :

C'est à cause de cette qualité toute moderne et toute nouvelle que Delacroix est la dernière expres-

sion du progrès dans l'art. Héritier de la grande tradition, c'est-à-dire de l'ampleur, de la noblesse et de
la pompe dans la composition, et digne successeur des
vieux maîtres, il a de plus qu'eux la maîtrise de la douleur, la passion, le geste ! C'est vraiment là ce qui fait
l'importance de sa grandeur. [...] Ôtez Delacroix, la
grande chaîne de l'histoire est rompue et s'écroule à
terre. (II, 441.)

Bref, Delacroix est à la fois classique et
moderne, il élève le moderne à la hauteur du
classique. Il est indispensable au déroulement
de l'histoire.

En 1859, Baudelaire cherche de nouveau
ce qui fait la « *spécialité* » de Delacroix. La
réponse est cette fois l'*imagination*, le rêve.
Delacroix, dit-il, « C'est l'infini dans le fini »
(II, 636). Et Baudelaire exprimera encore sa
vénération après la mort du peintre en 1863,
admiration pour le travail, pour la solitude,
pour la détermination. Il rapporte alors ce propos du peintre :

> « Autrefois, dans ma jeunesse, je ne pouvais me
> mettre au travail que quand j'avais la promesse d'un
> plaisir pour le soir, musique, bal, ou n'importe quel
> autre divertissement. Mais aujourd'hui, je ne suis plus
> semblable aux écoliers, je puis travailler sans cesse et
> sans aucun espoir de récompense. Et puis, — ajoutait-
> il, — si vous saviez comme un travail assidu rend indul-
> gent et peu difficile en matière de plaisirs ! L'homme

qui a bien rempli sa journée sera disposé à trouver suffisamment d'esprit au commissionnaire du coin et à
jouer aux cartes avec lui. » (II, 762-763.)

Delacroix, lutteur opiniâtre, « sauvage »,
restera pour Baudelaire le modèle de l'artiste.

15

L'art et la guerre

Les passions de Baudelaire sont extrêmes, ses haines comme ses amours. Par exemple, dans ses *Salons* il a ses « phares », comme Delacroix, ou William Haussoullier en 1845, ou Eugène Boudin en 1859, mais aussi ses têtes de Turc, comme Horace Vernet.

Dans le *Salon de 1845*, Baudelaire s'en prend à la fameuse *Prise de la smalah d'Abd-el-Kader* de Vernet, grand tableau historique du musée du château de Versailles. La toile est comparée à un « panorama de cabaret », c'est-à-dire à un décor fourmillant de détails anecdotiques, juxtaposant des épisodes avec une « méthode de feuilletoniste », mais dépourvu d'unité, de souffle, et froid. Un an plus tard, dans le *Salon de 1846*, Baudelaire se déchaînera :

> M. Horace Vernet est un militaire qui fait de la peinture. — Je hais cet art improvisé au roulement

du tambour, ces toiles badigeonnées au galop, cette peinture fabriquée à coups de pistolet, comme je hais l'armée, la force armée, et tout ce qui traîne des armes bruyantes dans un lieu pacifique. Cette immense popularité, qui ne durera d'ailleurs pas plus longtemps que la guerre, et qui diminuera à mesure que les peuples se feront d'autres joies, — cette popularité, dis-je, cette *vox populi, vox Dei,* est pour moi une oppression.

Je hais cet homme parce que ses tableaux ne sont point de la peinture, mais une masturbation agile et fréquente, une irritation de l'épiderme français. (II, 469-470.)

Baudelaire hait l'armée, où son beau-père exerce et qui s'est rendue populaire par les combats de Bugeaud en Algérie contre Abd el-Kader, mais il ne déteste pas la guerre littéraire. Sur ces mots, il revient d'ailleurs à sa théorie de l'éreintage :

Bien des gens, partisans de la ligne courbe en matière d'éreintage, et qui n'aiment pas mieux que moi M. Horace Vernet, me reprocheront d'être maladroit. Cependant il n'est pas imprudent d'être brutal et d'aller droit au fait, quand à chaque phrase le *je* couvre un *nous, nous* immense, *nous* silencieux et invisible, — *nous,* toute une génération nouvelle, ennemie de la guerre et des sottises nationales ; une génération pleine de santé, parce qu'elle est jeune, et qui pousse déjà à la queue, coudoie et fait ses trous, — sérieuse, railleuse et menaçante ! (II, 471.)

Refusant la manière insidieuse et hypocrite de la critique bourgeoise, Baudelaire se déclare pour un conflit ouvert entre les générations. Il a le sentiment qu'il n'est pas seul, mais qu'il traîne derrière lui toute une troupe de son âge. Avec le romantisme, depuis la bataille d'*Hernani*, on est entré dans l'ère des manifestes qui mettent aux prises les générations. Ce sera bientôt le temps des avant-gardes, dressant les modernes contre les anciens, les jeunes contre les académiques.

Baudelaire a quelques images déconcertantes, impétueuses, concrètes, énergiques, héroïques : *pousser à la queue*, par allusion à la queue d'une colonne, d'un peloton, d'un convoi, que l'on presse de derrière pour la faire avancer ; *coudoyer*, c'est-à-dire jouer des coudes, pousser de côté, ébranler, pour forcer à laisser la place ; enfin *faire ses trous*, comme on dit *faire trou*, c'est-à-dire faire son chemin, ou bien pénétrer, marquer, suivant l'expression *faire balle et faire trou*, monter à l'assaut par derrière. Tout cela est très agressif, vise à éliminer et à remplacer.

Pourtant, Baudelaire dénonce dans *Mon cœur mis à nu* la vision militante ou militaire de la littérature, promue par les artistes progressistes :

> De l'amour, de la prédilection des Français pour les métaphores militaires. […]

Littérature militante.

Rester sur la brèche.

Porter haut le drapeau.

Tenir le drapeau haut et ferme.

Se jeter dans la mêlée.

Un des vétérans.

Toutes ces glorieuses phraséologies s'appliquent généralement à des cuistres et à des fainéants d'estaminet. (I, 690-691.)

Les poètes de combat.

Les littérateurs d'avant-garde.

Ces habitudes de métaphores militaires dénotent des esprits non pas militants, mais faits pour la discipline, c'est-à-dire pour la conformité, des esprits nés domestiques. (I, 691.)

Baudelaire, toujours anticonformiste, sera un guerroyeur singulier. Enfant, il voulait être « pape, mais pape militaire » (I, 702). Et les vrais artistes, ses héros, sont des soldats misanthropes, des conquérants solitaires unis par la foi de l'idéal. « Vous êtes un vrai guerrier. Vous méritez d'être du bataillon sacré », écrivait-il à Flaubert en janvier 1862 (C, II, 224). Baudelaire résolut de se battre seul, et d'abord contre lui-même, à l'instar de Delacroix : « Pour un pareil homme, doué d'un tel courage et d'une telle passion, les luttes les plus intéressantes sont celles qu'il a à soutenir contre lui-même » (II, 429).

16

Manet

Baudelaire et Manet, qui se fréquentèrent dans les cafés du Boulevard, qui furent amis, se ressemblaient. Tous deux, bourgeois, dandies, révolutionnèrent leur art sans le vouloir ; ils furent malgré eux des artistes de la rupture. Quand Baudelaire présenta sa candidature à l'Académie française en 1861, alors que *Les Fleurs du Mal* avaient été condamnées en 1857, son inconscience surprit tout le monde : « Si toutes les vitres de ce vénérable palais Mazarin n'éclatent pas en mille morceaux », jugea un journaliste, « il faudra croire que le dieu de la tradition classique est décidément mort et enterré ».

Manet, lui, envoyait chaque année ses tableaux au Salon des Beaux-Arts, sans avoir l'air de comprendre pourquoi ils faisaient scandale, comme ce fut le cas avec *Le Déjeuner sur l'herbe* (musée d'Orsay), exposé au Salon des Refusés en 1863, ou avec *Olympia* (musée d'Orsay), tout de même acceptée au Salon officiel de 1865, mais sauvagement éreintée. Les critiques se déchaînèrent alors contre lui et il en fut très affecté.

Il écrivit à Baudelaire, qui séjournait à Bruxelles, comme on consulte un aîné qui a traversé le même genre d'épreuves :

> Je voudrais bien vous avoir ici mon cher Baudelaire, les injures pleuvent sur moi comme grêle, je ne m'étais pas encore trouvé à pareille fête. [...] J'aurais voulu avoir votre jugement sain sur mes tableaux car tous ces cris agacent, et il est évident qu'il y a quelqu'un qui se trompe.

Ébranlé par des attaques d'une extrême virulence, Manet perd toute assurance et, dans le doute, fait confiance à Baudelaire, mais la réponse de celui-ci fut peu encourageante, du moins apparemment :

> Il faut donc que je vous parle encore de vous. Il faut que je m'applique à vous démontrer ce que vous valez. C'est vraiment bête ce que vous exigez. *On se moque de vous* ; les *plaisanteries* vous agacent ; on ne sait pas vous rendre justice, etc., etc. Croyez-vous que vous soyez le premier homme placé dans ce cas ? Avez-vous plus de génie que Chateaubriand et que Wagner ? On s'est bien moqué d'eux cependant ? Ils n'en sont pas

morts. Et pour ne pas vous inspirer trop d'orgueil, je vous dirai que ces hommes sont des modèles, chacun dans son genre, et dans un monde très riche ; et que vous, *vous n'êtes que le premier dans la décrépitude de votre art*. (C, II, 496-497.)

On ne sait toujours pas très bien ce que Baudelaire a voulu dire, car il semble souffler le chaud et froid à travers une série de questions rhétoriques. Manet ferait preuve d'immodestie ; il n'est en effet pas le premier à subir les assauts de la critique académique. Chateaubriand et Wagner en ont fait l'expérience, et ces hommes-là, il lui faut en convenir, lui étaient supérieurs. Or, de leur temps, les arts se portaient mieux qu'aujourd'hui. Manet, lui, « n'[est] que le premier dans la décrépitude de [son] art ». La formule n'a pas dû faire plaisir à Manet, abattu par la polémique.

Baudelaire distingue le « monde très riche » où Chateaubriand et Wagner exercèrent leur génie et où l'on se moqua d'eux, et le monde appauvri, décadent, où Manet se débat. La proposition peut s'entendre ainsi : vous n'êtes que le premier (et non pas un modèle) dans cet art décrépit, dégradé, qu'est devenue la peinture d'aujourd'hui. Baudelaire exhorte Manet à l'humilité, leçon d'abnégation applicable aussi à lui-même. La *décrépitude* est synonyme de *progrès*, de *moderne*, dans le langage du poète. Il dénonçait « le sommeil radoteur de la décrépitude » chez les thuriféraires du progrès, lors de l'Exposition universelle de 1855 (II, 580). Dans ses *Notes nouvelles sur Edgar Poe*, il qualifie le progrès de « grande hérésie de la décrépitude » (II, 324). Bref, vous n'êtes pas le premier artiste éreinté ; d'autres l'ont été avant vous, et en un temps où l'art était grand ; vous êtes le premier à l'être dans cet état de l'art que caractérise la foi du progrès, c'est-à-dire la décrépitude.

Baudelaire aime bien Manet, mais, le voyant tant affecté par les insultes des critiques, il doute de sa force de caractère. « Manet a un fort talent, un talent qui résistera », écrit-il à Champfleury. « Mais il a un caractère faible. Il me paraît désolé et étourdi du choc » (C, II, 502). Manet n'a pas la trempe d'un Delacroix, et Baudelaire loue son talent, non son génie, car il admire les artistes qui se comportent comme des lutteurs indifférents aux autres. C'est pourquoi il fait grand cas du fou Meryon ou qu'il traite Constantin Guys de « soldat artiste », érigé en « peintre de la vie moderne » au lieu de Manet, à qui la postérité reconnaîtra plus volontiers cette qualité.

Baudelaire, qui n'avait d'ailleurs pas vu *Olympia*, s'adressait à Manet sur le ton ironique de la camaraderie, mais son apparente désinvolture à l'égard d'un peintre que nous avons canonisé n'a pas fini de choquer. « Baudelaire, qu'il taise son bec sur ce territoire, c'est des mots sonores, et puis d'un creux », écrivait Van Gogh à son ami le peintre Émile Bernard, en 1888 : « Qu'il nous fiche la paix quand nous parlons peinture. »

17

Du rire

Qu'y a-t-il de si réjouissant dans le spectacle d'un homme qui tombe sur la glace ou sur le pavé, qui trébuche au bout d'un trottoir, pour que la face de son frère en Jésus-Christ se contracte d'une façon désordonnée, pour que les muscles de son visage se mettent à jouer subitement comme une horloge à midi ou un joujou à ressorts ? Ce pauvre diable s'est au moins défiguré, peut-être s'est-il fracturé un membre essentiel. Cependant, le rire est parti, irrésistible et subit. Il est certain que si l'on veut creuser cette situation, on trouvera au fond de la pensée du rieur un certain orgueil inconscient. C'est là le point de départ : *moi*, je ne tombe pas ; *moi*, je marche droit ; *moi*, mon pied est ferme et assuré. Ce n'est pas *moi* qui commettrais la sottise de ne pas voir un trottoir interrompu ou un pavé qui barre le chemin. (II, 530-531.)

Dans *De l'essence du rire*, Baudelaire semble décrire une chose vue : un homme s'étale sur le boulevard, un peu comme le poète, dans *Perte d'auréole*, trébuche sur le macadam et fait dégringoler sa couronne. Au spectacle de cet homme étendu dans la rue, ses semblables se mettent à rire comme des automates. Baudelaire en tire la conclusion que le rire est mauvais, satanique, qu'il est le signe du péché originel. « Le Sage ne rit qu'en tremblant », rappelle-t-il, suivant une maxime qu'il a lue chez Bossuet ; « Jésus n'a jamais ri », reprenait un camarade de Baudelaire, Gustave Le Vavasseur. Ce sont les fous qui rient, parce qu'ils n'ont pas conscience de leur faiblesse et qu'ils se prennent pour des grands. Baudelaire élabore une théorie du rire, lequel est « intimement lié à l'accident d'une chute ancienne, d'une dégradation physique et morale » (II, 527-528). On ne riait pas, de même que l'on ne pleurait pas, au paradis. Le rire expose la misère de l'homme et son ignorance de cette misère, donc son orgueil : « Le rire vient de l'idée de sa propre supériorité. Idée satanique s'il en fut jamais » (II, 530).

Baudelaire imagine Virginie, la jeune fille de *Paul et Virginie*, l'héroïne innocente de Bernardin de Saint-Pierre, tout juste débarquée de son île Maurice, cette île que Baudelaire connut en 1842. Elle découvre une caricature à la devanture d'une boutique du Palais-Royal. Pure, immaculée, elle ne rit pas, parce qu'elle n'y comprend rien, parce que la caricature suppose de la malice, mais si elle reste rien qu'un peu à Paris, « le rire lui viendra », avec la perte de sa candeur. (L'autre jour, comme j'avais glissé avec mes bagages et m'étais étalé de tout mon long à l'aéroport de Roissy, une jeune fille s'est penchée vers moi en disant : « Vous n'avez pas mal ? » J'ai pensé qu'elle débarquait de l'océan Indien et que quelques jours à Paris l'initieraient.)

Les animaux non plus ne rient pas. De manière très pascalienne, Baudelaire fait du rire à la fois le signe de la misère et de la grandeur de l'homme, misère par rapport à Dieu, mais grandeur relativement aux animaux. Le rire est à la fois angélique et diabolique. Et si l'homme n'existait pas, il n'y aurait pas de comique dans le monde. Le comique, comme le beau suivant Kant, réside dans l'œil du rieur, non dans l'objet du rire.

Baudelaire distingue encore deux grands genres du comique, et donc deux rires : le comique qu'il appelle *significatif* et qui est le comique ordinaire, celui de nous tous devant une caricature, et la monarchie de Juillet, temps de la jeunesse de Baudelaire, fut la grande époque de la caricature, avec Gavarni ou Daumier. La caricature est toujours un peu complaisante, elle flatte le spectateur, en fait un compère ; c'est le comique des contes de Voltaire, typique de cet esprit français que Baudelaire n'aime pas, celui de la presse satirique et des petits journaux, aujourd'hui du *Canard enchaîné* ; c'est celui des comédies de Molière, qui suscitent des réserves chez Baudelaire ; et c'est même celui de Rabelais, chez qui le rire est utile, a « la transparence d'un apologue » et sert à faire la leçon.

L'autre comique, qualifié d'*absolu*, est innocent, car il s'inclut dans la dérision. Baudelaire ne le trouve pas en France, mais en Allemagne, en Italie, en Angleterre. Il pense au grotesque, à la pantomime, à la *commedia dell'arte*. Daumier est trop bonhomme pour y atteindre, mais Goya y parvient dans ses gravures fantastiques. Ce comique, ce sera celui du cinéma, de Buster Keaton, de Charlot, que Baudelaire avait prévus.

Au théâtre des Funambules, l'acteur qui tombe sur la scène est le premier à en rire, d'un rire inoffensif, vrai, sublime. Le comique absolu est celui de ces comédiens ou caricaturistes exceptionnels qui, grâce à leur sagesse, sont capables de se dédoubler, ont la « puissance d'être à la fois soi et un autre » (II, 543).

Conscients de leur misère, ils ne s'excluent pas du risible. Un homme tombe dans la rue ; il se redresse et part d'un grand éclat de rire : c'est un sage, un ironiste, comme le poète de *Perte d'auréole*.

18

Modernité

La page est familière : c'est la définition de la
« modernité » que Baudelaire produisit à propos de Constantin Guys dans *Le Peintre de la
vie moderne* :

> Il cherche ce quelque chose qu'on nous permet-
> tra d'appeler la *modernité* ; car il ne se présente pas de
> meilleur mot pour exprimer l'idée en question. Il s'agit,
> pour lui, de dégager de la mode ce qu'elle peut contenir
> de poétique dans l'historique, de tirer l'éternel du tran-
> sitoire. [...] La modernité, c'est le transitoire, le fugitif,
> le contingent, la moitié de l'art, dont l'autre moitié est
> l'éternel et l'immuable. [...] En un mot, pour que toute
> *modernité* soit digne de devenir antiquité, il faut que la
> beauté mystérieuse que la vie humaine y met involon-
> tairement en ait été extraite. (II, 694-695.)

Le mot *modernité* existait avant Baudelaire,
chez Balzac ou Chateaubriand ; en allemand, il
était péjoratif ; en anglais, il était positif ; mais
c'est Baudelaire qui lui a donné ses lettres de

noblesse et qui nous l'a transmis, pour le meilleur et pour le pire.

Car cette « modernité » baudelairienne est difficile à saisir, compliquée, retorse, ambiguë ! Son incohérence a parfois été signalée, Walter Benjamin, le respecté penseur allemand de l'entre-deux-guerres, allait jusqu'à s'en débarrasser avec désinvolture : « On ne peut pas dire que nous ayons là une analyse en profondeur », jugeait-il. « La théorie de l'art moderne est le point faible dans la conception baudelairienne de la modernité. »

Baudelaire lie la modernité à la mode, qui change tout le temps : il s'agirait de la dégager de la mode, comme on extrairait de ce qui est éphémère, fugitif, transitoire, quelque chose qui mériterait de durer, qui serait digne de l'antiquité, voire de l'éternité. Les modes passent, se renouvellent chaque saison, mais il revient à l'artiste d'apercevoir ce qu'il reste en nous de grand, de poétique, d'héroïque dans une société sécularisée, et de le représenter, de l'immortaliser. L'art doit « arracher à la vie actuelle son côté épique », comme Baudelaire le disait dès le *Salon de 1845* (II, 407), car c'est pour lui une idée de toujours. L'artiste moderne s'intéresse à son temps au lieu de lui tourner le dos comme les néo-classiques et les académiques. C'est ainsi que Stendhal définissait le romantisme, en faisant valoir que le monde avait tellement changé depuis la Révolution que l'on ne pouvait plus donner les mêmes œuvres au public. La modernité serait donc, dégagée de la mode, ce qui vaut de durer.

Toutefois, Baudelaire la présente ensuite autrement, comme l'autre face inséparable de la beauté. Toute beauté, dit-il, est double, et la modernité est à présent assimilée à son élément transitoire, fugitif ou contingent, par opposition à son élément éternel et immuable. D'une phrase à l'autre, la modernité désignerait donc à la fois ce qu'il y a d'impérissable et ce qu'il y a de périssable dans le présent. Or, c'est sur le premier sens que Baudelaire revient encore, mais en rendant les choses plus compliquées, puisque, si le durable est prélevé de la mode, alors c'est toute la mode qui devient elle-même précieuse.

Sur le fond du désenchantement du monde que suscite l'époque moderne, il s'agit, avec la modernité esthétique, d'inventer une mythologie contemporaine, de poétiser la vie par le mythe, de racheter la mode par l'art, par la peinture, par la poésie.

Sans doute ne convient-il pas d'exiger trop de rigueur de la part d'un poète qui assistait aux balbutiements du monde moderne. Et, même si l'abondance des adjectifs nominalisés dénote le style philosophique, Baudelaire n'était pas un logicien. On se rappellera l'une de ses pensées : « Parmi les droits dont on a parlé dans ces derniers temps, il y en a un qu'on a oublié, à la démonstration duquel *tout le monde* est intéressé, — le droit de se contredire » (I, 709).

La conclusion reste pourtant certaine : avec sa modernité, Baudelaire résiste au monde moderne, industriel, matérialiste, américanisé, comme il dit, et à sa tendance au renouvellement incessant de toutes choses, rendues désuètes aussitôt qu'elles sont produites. Or ce mouvement inéluctable affecte aussi les œuvres de l'art, transformées en articles de mode et en marchandises. Baudelaire fut l'un des premiers observateurs de l'accélération de l'art et de sa transformation en marché, et il cherche à maintenir, contre la course éperdue du temps, demain éliminant aujourd'hui, une permanence de la beauté. La modernité de Baudelaire, c'est la résistance à un monde moderne où tout devient périssable ; c'est la volonté de conserver et de transmettre quelque chose de durable.

19

Beau, bizarre, triste

Baudelaire a laissé beaucoup de définitions de la beauté, souvent troublantes. Il veut qu'elle soit digne de l'Antiquité et maintienne la tradition, mais, dans son compte rendu de l'Exposition universelle de 1855, il se montre également sensible à la diversité de la beauté, à toutes les beautés venues du monde entier et réunies là, au « beau multiforme et versicolore », dit-il, « qui se meut dans les spirales infinies de la vie », et il en tire cette leçon mémorable :

Le beau est toujours bizarre. Je ne veux pas dire qu'il soit volontairement, froidement bizarre, car dans ce cas il serait un monstre sorti des rails de la vie. Je dis qu'il contient toujours un peu de bizarrerie, de bizarrerie naïve, non voulue, inconsciente, et que c'est cette bizarrerie qui le fait être particulièrement le Beau. C'est son immatriculation, sa caractéristique. Renversez la proposition, et tâchez de concevoir un *beau banal !* (II, 578.)

À la beauté classique et canonique, unique et universelle, que Baudelaire identifie à la banalité, il oppose une exigence d'irrégularité ou de discordance, sans laquelle il n'y aurait pas de vraie beauté. Baudelaire avait trouvé cette idée en traduisant Edgar Poe, qui citait lui-même Francis Bacon : « Il n'y a pas de beauté exquise […] sans une certaine *étrangeté* dans les proportions. » Cette étrangeté (*strangeness*) ou cette singularité, qui ne doit pas être une affectation mais le produit de l'innocence et de l'imagination, plutôt que de l'intelligence, c'est aussi celle des images déconcertantes des *Fleurs du Mal* :

> Quand le ciel bas et lourd pèse comme un couvercle
> […]
> — Et de longs corbillards, sans tambours ni musique,
> Défilent lentement dans mon âme ; l'Espoir,
> Vaincu, pleure, et l'Angoisse atroce, despotique,
> Sur mon crâne incliné plante son drapeau noir.

Le couvercle du ciel comme sur une casserole, les corbillards dans la tête, le drapeau planté sur le crâne, ces images sont bizarres, réalistes, basses, dans un poème élevé, le quatrième *Spleen*, si bien que certains critiques ont cru y déceler la description d'une migraine. Il n'y a pas de beauté sans quelque disproportion. Celle-ci peut aussi être formelle, comme à la fin des *Sept Vieillards* :

Et mon âme dansait, dansait, vieille gabarre
Sans mâts, sur une mer monstrueuse et sans bords !

Mais attention ! Parce que le beau est toujours bizarre, ne pensons pas que la réciproque soit vraie et que le bizarre soit toujours beau. Baudelaire met en garde fermement, dans le *Salon de 1859*, contre ce travers et cette tentation modernes : « Le désir d'étonner et d'être étonné est très légitime. *It is a happiness to wonder,* "c'est un bonheur d'être étonné" », rappelle-t-il en citant de nouveau Edgar Poe, mais la réserve est immédiate :

Toute la question, si vous exigez que je vous confère le titre d'artiste ou d'amateur des beaux-arts, est donc de savoir par quels procédés vous voulez créer ou sentir l'étonnement. Parce que le Beau est *toujours* étonnant, il serait absurde de supposer que ce qui est étonnant est *toujours* beau. (II, 616.)

Baudelaire s'élève contre le public moderne qui demande à être épaté par des bizarreries artificielles et des « stratagèmes indignes ». Il dénonce les titres ridicules et alambiqués, *Amour et Gibelotte* ou *Appartement à louer*, que les peintres donnent aux tableaux exposés au

Salon en 1859 pour surprendre à bon compte le chaland. La soumission à la loi de l'offre et de la demande dégrade l'art, « car si l'artiste abêtit le public, celui-ci le lui rend bien » (II, 615).

Or cette bizarrerie que Baudelaire exige de la beauté, il l'identifie aussi à la tristesse, à la mélancolie, à la douleur, comme il le précise dans *Mon cœur mis à nu* :

> J'ai trouvé la définition du Beau, — de mon Beau. C'est quelque chose d'ardent et de triste, quelque chose d'un peu vague, laissant carrière à la conjecture. [...] Une tête séduisante et belle, une tête de femme, veux-je dire, c'est une tête qui fait rêver à la fois, — mais d'une manière confuse, — de volupté et de tristesse ; qui comporte une idée de mélancolie, de lassitude, même de satiété, — soit une idée contraire, c'est-à-dire une ardeur, un désir de vivre, associés avec une amertume refluante, comme venant de privation ou de désespérance. Le mystère, le regret sont aussi des caractères du Beau. (I, 657.)

Si le bizarre n'est pas toujours beau, le beau est toujours triste.

20

1848

Avant 1848, Baudelaire, qui fréquentait la bohème, qui écrivait dans les petits journaux comme *Le Corsaire-Satan*, partageait les idées romantiques et socialistes des milieux d'avant-garde. La pensée de l'unité et de l'harmonie du monde, de l'analogie et des correspondances, inspirée de Charles Fourier et du socialisme utopique, allait de pair avec l'indignation devant la misère populaire.

Ces thèses philosophiques idéalistes, on les retrouve dans certains poèmes anciens des *Fleurs du Mal*, comme *Correspondances*, ou du moins dans quelques vers de ce sonnet, par exemple son second quatrain :

> Comme de longs échos qui de loin se confondent
> Dans une ténébreuse et profonde unité,
> Vaste comme la nuit et comme la clarté,
> Les parfums, les couleurs et les sons se répondent.

Tandis que, dans *L'Âme du vin* et les autres poèmes sur le vin, le souci du repos des travailleurs est apparent :

« Entends-tu retentir les refrains des dimanches
Et l'espoir qui gazouille en mon sein palpitant ?
Les coudes sur la table et retroussant tes manches,
Tu me glorifieras et tu seras content. »

Avec ses camarades, Baudelaire prit part à la révolution en 1848. Le 24 février, il fit le coup de feu dans les rues de Paris, se battant moins pour la République que par instinct de révolte et de destruction. C'est du moins ce qu'il prétendra plus tard, dans *Mon cœur mis à nu* :

Mon ivresse en 1848.
De quelle nature était cette ivresse ?
Goût de la vengeance. Plaisir *naturel* de la démolition.
Ivresse littéraire ; souvenir des lectures.
Le 15 mai. — Toujours le goût de la destruction. Goût légitime, si tout ce qui est naturel est légitime.
Les horreurs de Juin. Folie du peuple et folie de la bourgeoisie. Amour naturel du crime. (I, 679.)

Devenu lecteur de Joseph de Maistre, le théoricien de la contre-Révolution, et séduit par la rhétorique réactionnaire après 1851, Baudelaire condamne après coup les emballements de sa jeunesse, imputés à la nature, c'est-à-dire à la méchanceté de l'homme corrompu par le péché originel, mais aussi à ses lectures. Il fait allusion aux ouvrages sur la violence révolutionnaire et sur la lutte des classes, comme *Qu'est-ce que la propriété ?* ou *Philosophie de la misère* de Proudhon, le socialiste libertaire. Baudelaire fréquenta celui-ci en 1848, et il reniera les lectures philanthropiques de sa jeunesse dans la violente leçon donnée à un mendiant dans le poème en prose *Assommons les pauvres !*

Après que l'instauration du suffrage universel (masculin) eut donné une majorité modérée à l'Assemblée constituante élue en avril 1848, il participa aux manifestations populaires du mois de mai contre le Gouvernement provisoire, lequel échappa de peu au renversement. Durant les journées de juin, il fut actif, « nerveux, excité, fébrile, agité », ainsi que le décrira son ami Le Vavasseur. Il voulait courir au martyre : « Ce jour-là, il était brave et se serait fait tuer. » Il ne rentra pas aussitôt dans le rang, mais écrivit encore dans la presse blanquiste, collabora à des feuilles socialistes, comme *Le Salut public* et *La Tribune nationale*, et devint même brièvement rédacteur en chef du *Représentant de l'Indre* à l'automne.

Ce furent les élections présidentielles de décembre 1848, l'accession au pouvoir de Louis-Napoléon Bonaparte, puis les législatives de mai 1849, qui refroidirent ses élans révolutionnaires et sa confiance dans le peuple. Et ce fut sa réaction au coup d'État du 2 décembre 1851 qu'il interpréta après coup à la manière de Joseph de Maistre, dans *Mon cœur mis à nu* :

> Ma fureur au coup d'État. Combien j'ai essuyé de coups de fusil ! Encore un Bonaparte ! quelle honte !
> Et cependant tout s'est pacifié. Le président n'a-t-il pas un droit à invoquer ?
> Ce qu'est l'empereur Napoléon III. Ce qu'il vaut. Trouver l'explication de sa nature, et sa providentialité. (I, 679.)

La France méritait Napoléon III comme une punition de la Providence. Sous l'Empire, Baudelaire ne s'occupa donc plus de politique. Il écrivit pourtant à son ami Nadar en mai 1859 : « Je me suis vingt fois persuadé que je ne m'intéressais plus à la politique, et à chaque question grave, je suis repris de curiosité et de passion » (C, I, 578). En l'occurrence, il s'agissait de la question italienne, du soutien de Napoléon III à Cavour contre l'Autriche, et des premières victoires françaises : « Voilà l'Empereur lavé. Tu verras, mon cher, qu'on

oubliera les horreurs commises en décembre »
(C, II, 579). Napoléon III, défenseur des liber-
tés en Italie, se rachetait et oblitérait le coup
d'État, contentant apparemment Baudelaire.

Il est pourtant devenu courant, à la suite
de Walter Benjamin, de voir en Baudelaire un
conspirateur révolutionnaire sous l'Empire,
« un agent secret — l'agent de la secrète insa-
tisfaction de sa classe à l'égard de sa propre
hégémonie ». S'il resta hostile à la société bourgeoise, ce fut toutefois sans plus d'attrait pour
le socialisme. Après la découverte de Joseph
de Maistre, il devint ce qu'on pourrait appe-
ler aujourd'hui un anarchiste de droite, après
avoir été un anarchiste de gauche.

Socialiste

Souvent, à la clarté rouge d'un réverbère
Dont le vent bat la flamme et tourmente le verre,
Au cœur d'un vieux faubourg, labyrinthe fangeux
Où l'humanité grouille en ferments orageux,

On voit un chiffonnier qui vient, hochant la tête,
Butant, et se cognant aux murs comme un poète,
Et, sans prendre souci des mouchards, ses sujets,
Épanche tout son cœur en glorieux projets.

Il prête des serments, dicte des lois sublimes,
Terrasse les méchants, relève les victimes,
Et sous le firmament comme un dais suspendu
S'enivre des splendeurs de sa propre vertu.

Voilà l'un de ces poèmes anciens des *Fleurs du Mal*, antérieurs à 1848, *Le Vin des chiffonniers*, marqué par des préoccupations sociales et humanitaires. Avant les travaux d'Haussmann, le vieux faubourg n'a pas encore été conquis par l'éclairage au gaz et la flamme rouge des réverbères bat au vent, comme dans *Le Crépuscule du soir* :

> À travers les lueurs que tourmente le vent
> La Prostitution s'allume dans les rues ;
> Comme une fourmilière elle ouvre ses issues.

Le chiffonnier, avec sa hotte et son crochet pour ramasser les rebuts, est un personnage légendaire du vieux Paris et du faubourg du Temple, quartier populaire voué à la destruction par Haussmann. Il traverse le *Tableau de Paris* de Louis-Sébastien Mercier et les nombreuses *Physiologies* à la mode sous la monarchie de Juillet. On le rencontre chez les caricaturistes, dont ce fut la grande époque, par exemple sur les gravures de Daumier pour *Le Charivari* (un manuscrit du poème fut d'ailleurs donné à Daumier par Baudelaire).

Le vin, avec le haschisch, fait partie de ces drogues dont Baudelaire célèbre les effets dans *Les Paradis artificiels*. Les jeunes gens de la bohème fraternisent avec le petit peuple parisien dans les débits de boissons. L'octroi aux portes de la ville augmente le prix du vin dans les cabarets parisiens ; c'est donc au-delà des barrières que l'on se rend pour boire et rêver. Et le vin encourage à la révolte, même si les socialistes et les philanthropes condamnent l'alcoolisme.

Incarnation du peuple, le chiffonnier, qui traîne une existence précaire, oublie son sort grâce à la boisson et mène par l'imagination une vie héroïque de soldat ; il se prend pour Bonaparte :

Les bannières, les fleurs et les arcs triomphaux

Se dressent devant eux, solennelle magie !
Et dans l'étourdissante et lumineuse orgie
Des clairons, du soleil, des cris et du tambour,
Ils apportent la gloire au peuple ivre d'amour !

C'est ainsi qu'à travers l'Humanité frivole
Le vin roule de l'or, éblouissant Pactole ;
Par le gosier de l'homme il chante ses exploits
Et règne par ses dons ainsi que les vrais rois.

Pour noyer la rancœur et bercer l'indolence
De tous ces vieux maudits qui meurent en silence,
Dieu, touché de remords, avait fait le sommeil ;
L'Homme ajouta le Vin, fils sacré du Soleil !

Le blasphème n'est pas absent de ce cri de révolte final imputant à Dieu la création d'un monde de douleur, d'un monde sans vin. Comme l'écrit Baudelaire dans *Les Paradis artificiels* : « Il y a sur la boule terrestre une foule innombrable, innomée, dont le sommeil n'endormirait pas suffisamment les souffrances. Le vin compose pour eux des chants et des poèmes » (I, 382). C'est pourquoi le poète n'a pas le courage de condamner l'ivrognerie.

Ajoutons que le chiffonnier est une figure du poète, lequel s'identifie à lui dans le rêve comme dans la révolte, par exemple dans *Le Soleil*, autre poème ancien, situé lui aussi dans le « vieux faubourg », car c'est bien sur ce territoire que le poète exerce alors son art :

Flairant dans tous les coins les hasards de la rime,
Trébuchant sur les mots comme sur les pavés,
Heurtant parfois des vers depuis longtemps rêvés.

À sa manière, le poète moderne, urbain, désenchanté, est lui aussi un chiffonnier.

22

Dandy

Baudelaire était un original. Des légendes ont toujours entouré sa réputation. Quand les amis de sa jeunesse bohème publièrent leurs souvenirs, ils insistèrent tous sur la crudité de son langage, sur son élégance osée, sur ses provocations continuelles. Baudelaire se faisait remarquer ; il avait une « bizarrerie caractéristique », dira Champfleury, qui se souviendra par exemple de ses cheveux teints en vert.

Plus tard, c'est sous l'appellation de *dandysme* que Baudelaire pensera lui-même sa singularité, par allusion au livre de Barbey d'Aurevilly, *Du dandysme et de G. Brummell*, publié en 1845. Dès le *Salon de 1846*, Baudelaire qualifie ainsi le dandysme de « chose moderne » et traite Eugène Lami et Gavarni, deux dessinateurs de la vie élégante, de « poètes du dandysme ».

Qu'est-ce qu'un dandy ? C'est un jeune

oisif, fier, fringant, désinvolte, qui se montre aux terrasses du Boulevard et flâne dans le jardin des Tuileries ; c'est un conversationniste spirituel. Baudelaire résume son idée en quelques mots dans *Mon cœur mis à nu* :

> *Dandysme.*
> Qu'est-ce que l'homme supérieur ?
> Ce n'est pas le spécialiste.
> C'est l'homme de Loisir et d'Éducation générale.
> (I, 689.)

Produit réactif de la démocratie, le dandy est le dernier héritier de l'honnête homme, du courtisan de l'Ancien Régime ; c'est un dilettante qui a l'utilitarisme moderne en horreur : « Être un homme utile m'a paru toujours quelque chose de bien hideux », confiait encore Baudelaire dans un fragment autobiographique (I, 679).

Le dandysme est le plus longuement présenté dans *Le Peintre de la vie moderne* comme une sévère discipline dans l'indiscipline :

> Le dandysme, qui est une institution en dehors des lois, a des lois rigoureuses auxquelles sont strictement soumis tous ses sujets, quelles que soient d'ailleurs la fougue et l'indépendance de leur caractère. (II, 709.)

Un dandy doit pouvoir ne pas penser à l'argent afin de consacrer tout son temps à sa toilette et à ses amours, mais ni l'argent, ni la toilette ni les amours ne sont pour lui des attributs essentiels (après les dettes de ses vingt ans, Baudelaire manqua toujours d'argent). Fortune, toilette et amours comptent seulement comme signes de la distinction du dandy, comme « symboles de la supériorité aristocratique de son esprit ». C'est pourquoi son élégance se caractérise par la « simplicité absolue » (Baudelaire mettait du soin à sa tenue, mais celle-ci était toujours identique).

À l'aube de l'âge des masses, les dandies sont de farouches individualistes qui se réunissent dans un cénacle et préservent un ordre supérieur de la société, une élite de l'esprit :

> Qu'est-ce donc que cette passion qui, devenue doctrine, a fait des adeptes dominateurs, cette institution non écrite qui a formé une caste si hautaine ? C'est avant tout le besoin ardent de se faire une originalité, contenu dans les limites extérieures des convenances. C'est une espèce de culte de soi-même, qui peut survivre à la recherche du bonheur à trouver dans autrui, dans la femme, par exemple ; qui peut survivre même à tout ce qu'on appelle les illusions. C'est le plaisir d'étonner et la satisfaction orgueilleuse de ne jamais être étonné. Un dandy peut être un homme blasé, peut être un homme souffrant ; mais, dans ce dernier cas, il

sourira comme le Lacédémonien sous la morsure du renard. (II, 710.)

Un dandy vise la maîtrise de ses émotions et un flegme souverain.

> Le mot *dandy* implique une quintessence de caractère et une intelligence subtile de tout le mécanisme moral de ce monde ; mais, d'un autre côté, le dandy aspire à l'insensibilité. [...] Le dandy est blasé, ou il feint de l'être, par politique et raison de caste. (II, 691.)

Cette nouvelle aristocratie d'hommes désœuvrés et déclassés affronte avec nostalgie la marée montante de la démocratie :

> Le dandysme est le dernier éclat d'héroïsme dans les décadences. [...] Le dandysme est un soleil couchant ; comme l'astre qui décline, il est superbe, sans chaleur et plein de mélancolie. (II, 711-712.)

Froid, résolu, blasé, le dandy cultive l'artifice afin de tenir à distance la nature. « Le Dandy doit aspirer à être sublime sans interruption. Il doit vivre et dormir devant un miroir » (I, 678). Ainsi un autre côté du dandy apparaît dans *Mon cœur mis à nu*, qui l'oppose à la femme, « le contraire du Dandy » (I, 677).

Toujours à la fois dedans et dehors, le dandy est un éternel étranger. Comme le héros du poème en prose *L'Étranger*, natif et cosmopolite, urbain et impertinent, c'est un voyeur, un ennemi de l'intérieur, un rebelle sans cause :

> Être hors de chez soi, et pourtant se sentir partout chez soi ; voir le monde, être au centre du monde et rester caché au monde, tels sont quelques-uns des moindres plaisirs de ces esprits indépendants, passionnés, impartiaux, que la langue ne peut que maladroitement définir. (II, 692.)

Ainsi, le dandy connaît les agréments mais aussi l'inconfort que procure son perpétuel double jeu.

23

Les femmes

> Mon enfant, ma sœur,
> Songe à la douceur
> D'aller là-bas vivre ensemble !
> Aimer à loisir,
> Aimer et mourir
> Au pays qui te ressemble !
> Les soleils mouillés
> De ces ciels brouillés
> Pour mon esprit ont les charmes
> Si mystérieux
> De tes traîtres yeux,
> Brillant à travers leurs larmes.
>
> Là, tout n'est qu'ordre et beauté,
> Luxe, calme et volupté.

Aucun poète n'a mieux parlé des femmes et de l'amour que Baudelaire, dans quelques poèmes sublimes comme *La Chevelure* ou *L'Invitation au voyage*. On a l'habitude de distinguer dans *Les Fleurs du Mal* plusieurs cycles dédiés à des femmes aimées, Jeanne Duval, Mme Sabatier,

Marie Daubrun. Et pourtant Baudelaire a formulé des pensées terribles sur les femmes, des pensées qu'il serait vain de dissimuler et qui font qu'il est aujourd'hui traité de misogyne. À la vérité, certains fragments intimes de *Mon cœur mis à nu*, non destinés, il est vrai, à la publication sous cette forme, font mal, et ceux-ci ne sont pas les pires :

> J'ai toujours été étonné qu'on laissât les femmes entrer dans les églises. Quelle conversation peuvent-elles avoir avec Dieu ? (I, 693.)
> La femme ne sait pas séparer l'âme du corps. Elle est simpliste, comme les animaux. — Un satirique dirait que c'est parce qu'elle n'a que le corps. (I, 694.)
> La femme est le contraire du Dandy.
> Donc elle doit faire horreur.
> La femme a faim et elle veut manger ; soif, et elle veut boire.
> Elle est en rut et elle veut être f…
> Le beau mérite !
> La femme est *naturelle*, c'est-à-dire abominable.
> Aussi est-elle toujours vulgaire, c'est-à-dire le contraire du Dandy. (I, 677.)

De telles propositions ressemblent toutefois à des gamineries, à des provocations puériles. Baudelaire juge que les femmes manquent de spiritualité, car elles sont plus proches que les hommes de la nature, c'est-à-dire du mal. Dans *La Fanfarlo*, Samuel Cramer, figure du poète,

« considérait la reproduction comme un vice de l'amour, la grossesse comme une maladie d'araignée. Il a écrit quelque part : Les anges sont hermaphrodites et stériles » (I, 577). Ainsi la courtisane, fuyant la procréation, devient une femme supérieure.

Dans le chapitre sur les maîtresses des *Conseils aux jeunes littérateurs*, le jeune Baudelaire (il a vingt-cinq ans) les réduisait à des objets :

> C'est parce que tous les vrais littérateurs ont horreur de la littérature à de certains moments, que je n'admets pour eux, — âmes libres et fières, esprits fatigués, qui ont toujours besoin de se reposer leur septième jour, — que deux classes de femmes possibles : les filles ou les femmes bêtes, — l'amour ou le pot-au-feu. (II, 20.)

L'idée est parfaitement résumée dans un choquant aphorisme de *Fusées* : « Aimer les femmes intelligentes est un plaisir de pédéraste » (I, 653). Et, plus tard, le chapitre sur les femmes et les filles du *Peintre de la vie moderne* sera tout aussi méprisant :

> L'être qui est, pour la plupart des hommes, la source des plus vives, et même, disons-le à la honte des voluptés philosophiques, des plus durables jouissances ; [...] cet être en qui Joseph de Maistre voyait *un bel animal* dont les grâces égayaient et rendaient plus facile le jeu sérieux de la politique. (II, 713.)

Seul l'artifice du maquillage, chez les comédiennes, leur permet, en les éloignant de la nature, de trouver grâce aux yeux du poète.

Ces divagations témoignent de la plus parfaite muflerie, et rien ne sert de rappeler, à la décharge de Baudelaire, que l'on trouverait des lignes aussi odieuses chez nombre de ses contemporains, comme Barbey d'Aurevilly, Flaubert ou les Goncourt.

Le pire est atteint dans *Mon cœur mis à nu* à propos de George Sand :

> La femme Sand est le Prudhomme de l'immoralité. [...]
>
> Elle a le fameux *style coulant*, cher aux bourgeois.
>
> Elle est bête, elle est lourde, elle est bavarde ; elle a, dans les idées morales, la même profondeur de jugement et la même délicatesse de sentiment que les concierges et les filles entretenues. [...]
>
> Que quelques hommes aient pu s'amouracher de cette latrine, c'est bien la preuve de l'abaissement des hommes de ce siècle. (I, 686.)

Baudelaire, « atrabilaire », comme il se qualifie, en veut aux femmes, qui l'ont fait souffrir, mais aussi et autant aux hommes ; il fait preuve de beaucoup d'amertume à l'égard des femmes, ou même de haine. Passons vite et retenons plutôt l'autre côté de son caractère,

son idéalisation de la femme, par exemple dans
Le Balcon :

> Mère des souvenirs, maîtresse des maîtresses,
> Ô toi, tous mes plaisirs ! ô toi, tous mes devoirs !
> Tu te rappelleras la beauté des caresses,
> La douceur du foyer et le charme des soirs,
> Mère des souvenirs, maîtresse des maîtresses !

24

Le catholique

Qu'est-ce que Dieu fait donc de ce flot d'anathèmes
Qui monte tous les jours vers ses chers Séraphins ?
Comme un tyran gorgé de viande et de vins,
Il s'endort au doux bruit de nos affreux blasphèmes.

— Ah ! Jésus, souviens-toi du Jardin des Olives !
Dans ta simplicité tu priais à genoux
Celui qui dans son ciel riait au bruit des clous
Que d'ignobles bourreaux plantaient dans tes chairs vives.

Lors du procès des *Fleurs du Mal*, en 1857,
Le Reniement de saint Pierre fut d'abord retenu
contre Baudelaire pour « atteinte à la morale
religieuse ». Plus tard, cependant, on fit de
lui un poète chrétien, et Paul Claudel devait
dire de la langue des *Fleurs du Mal* : « C'est un
extraordinaire mélange du style racinien et du
style journaliste de son temps. »

Pour le journalisme, Claudel pensait aux
mots et aux tours familiers, mais surtout à l'ins-
piration urbaine, aux néologismes empruntés à

la civilisation industrielle, comme *wagon*, *voirie*, *omnibus*, *réverbère* ou *bilan*.

La ressemblance avec Racine, elle, était devenue un cliché au début du XXᵉ siècle. Anatole France et Proust ne séparaient pas en Baudelaire le poète classique et le poète chrétien. « Baudelaire n'est pas le poète du vice, disait France ; il est le poète du péché, ce qui est bien différent. » Comparant son style à celui de Racine, Claudel pensait au jansénisme de *Phèdre*. Car l'appellation de poète *chrétien* dit mal la théologie de Baudelaire ; elle rappelle les idéaux socialistes et utopistes de 1848, la solidarité avec les pauvres comme variante de la charité et de la communion des saints. Auprès du Baudelaire chrétien, au sens de la fraternité des barricades, il y a, tout aussi présent et sans doute plus essentiel, un Baudelaire *catholique*, dans une acception plus dogmatique.

Le Dieu de Baudelaire n'est pas un rédempteur, mais un justicier et un vengeur, et il est fort peu question du Christ dans *Les Fleurs du Mal*, sinon dans *Le Reniement de saint Pierre* justement, mais pour le bafouer : « Saint Pierre a renié Jésus… il a bien fait ! » Baudelaire invoque Dieu et Satan pour alléguer le péché originel et proclamer la damnation, mais il est insensible au rachat. C'est pourquoi Proust l'appellera « le prophète le plus désolé depuis les prophètes d'Israël ».

« Il faut toujours en revenir à De Sade, c'est-à-dire à l'*Homme Naturel*, pour expliquer le mal », disait Baudelaire (I, 595). Après la lecture d'Edgar Poe, on l'a vu, il fut marqué par celle de Joseph de Maistre, dans les années où se fixaient l'esthétique et la métaphysique des *Fleurs du Mal* : « De Maistre et Edgar Poe m'ont appris à raisonner », lit-on dans un fragment de *Fusées* (I, 669). Les titres envisagés jusque-là pour le recueil de poèmes, *Les Lesbiennes*, puis *Les Limbes*, hésitaient entre le réalisme, le satanisme et le socialisme. Toutefois, dans le compte rendu de l'Exposition universelle de 1855, la doctrine de Baudelaire s'est soudain affermie : en quelques pages, c'est la réfutation magistrale de l'idée du progrès. On pourrait alors lui appliquer la formule d'Ernest Lavisse sur Charles Péguy : « un anarchiste catholique qui a mis de l'eau bénite dans son pétrole ».

Avec de Maistre, Baudelaire croit désormais à l'universalité du Mal. Le seul progrès concevable pour l'homme serait « dans la diminution des traces du péché originel » (I, 697), c'est-à-dire dans « la conscience dans le Mal ».

Comme le dit encore Baudelaire à propos de Sade, opposé aux bons sentiments de George Sand : « Le mal se connaissant était moins affreux et plus près de la guérison que le mal s'ignorant » (II, 68).

Dans *Les Fleurs du Mal*, le poème *L'Irrémédiable*, celui qui touche du plus près à cette théologie désolée, commence par une image de la création comme chute de Dieu :

> Une Idée, une Forme, un Être
> Parti de l'azur et tombé
> Dans un Styx bourbeux et plombé,

Et il poursuit en affirmant l'omniprésence du Mal :

> Puits de Vérité, clair et noir,
> Où tremble une étoile livide,
>
> Un phare ironique, infernal,
> Flambeau des grâces sataniques,
> Soulagement et gloire uniques,
> — La conscience dans le Mal !

Ce Baudelaire-là, sadien et maistrien, ou encore « catholique à rebours », comme disait de lui Léon Bloy, nous avons un peu de mal à le comprendre aujourd'hui, mais il n'est pas le moins vrai.

25

Les journaux

Il est impossible de parcourir une gazette quel-
conque, de n'importe quel jour, ou quel mois, ou quelle
année, sans y trouver, à chaque ligne, les signes de la
perversité humaine la plus épouvantable, en même
temps que *les vanteries* les plus surprenantes de probité,
de bonté, de charité, et les affirmations les plus effron-
tées, relatives au progrès et à la civilisation.

Tout journal, de la première ligne à la dernière,
n'est qu'un tissu d'horreurs. Guerres, crimes, vols,
impudicités, tortures, crimes des princes, crimes des
nations, crimes des particuliers, une ivresse d'atrocité
universelle. (I, 705-706.)

Baudelaire était un enfant de la presse. Il
avait quinze ans en 1836, quand les premiers
quotidiens de grand format et à grand tirage
virent le jour, *La Presse* d'Émile de Girardin et
Le Siècle d'Armand Dutacq. Sur quatre pages
serrées, avec un roman-feuilleton au rez-de-
chaussée de la première, ils déroulaient les
nouvelles de Paris, du pays et de l'étranger, la

chronique judiciaire, les faits divers, les cours de la Bourse, tandis que des publicités pour une loterie ou une pommade couvraient la dernière page. Ce fut une révolution technique et morale aussi brutale, aussi troublante que, depuis lors, l'avènement de la radio, de la télévision, d'Internet.

Quelques années plus tard, ayant atteint l'âge adulte, Baudelaire songea sérieusement à se suicider. À ses amis qui lui demandaient pourquoi, il donnait comme explication la nouvelle presse quotidienne : « Les journaux à grand format me rendent la vie insupportable », leur disait-il. Les gazettes, comme on les appelait, provoquaient en lui l'envie de fuir vers « un monde où elles n'ont pas encore fait leur apparition ». *Any where out of the world — N'importe où hors du monde* : là où il n'y aurait pas eu de journaux.

Que leur reprochait-il de si sérieux, au point de vouloir mourir ? Le journal, c'était le symbole même du monde moderne, c'est-à-dire de la décadence spirituelle. Il signifiait la disparition de la poésie, la substitution de l'utile au beau, de la technique à l'art, le culte de la matière, l'abolition de toute transcendance.

Et c'est de ce dégoûtant apéritif que l'homme civilisé accompagne son repas de chaque matin. Tout, en ce monde, sue le crime : le journal, la muraille et le visage de l'homme.

Je ne comprends pas qu'une main puisse toucher un journal sans une convulsion de dégoût. (I, 706.)

Et pourtant, Baudelaire vécut de la presse. Il qualifiait Sainte-Beuve de « poète-journaliste », sous prétexte que celui-ci était passé des *Poésies de Joseph Delorme* à sa chronique des *Lundis*, mais lui-même l'a été bien davantage, « poète-journaliste », apprenant son métier dans les « petits journaux », ces feuilles littéraires et satiriques d'avant-garde qui disparaissaient aussi vite qu'elles avaient éclos, mais aussi cherchant à placer ses poèmes en vers ou en prose, ses *Salons*, ses essais, dans les journaux à grand format, harcelant les rédacteurs en chef qui le fuyaient, et parvenant rarement à ses fins.

L'inventeur de la « modernité » a été scandalisé par la presse : elle l'a fasciné et il l'a détestée, mais il n'eut jamais de cesse qu'il y publiât. Il découpait dans la presse et il collectionnait les articles qui illustraient la stupidité de ses contemporains, par exemple des Belges durant son séjour à Bruxelles, mais il ne pouvait pas se passer des journaux, des petits et des grands, de les lire, d'y écrire.

Et il reconnaissait une fonction indispensable aux « petits journaux », seuls capables de reprendre, de corriger, de dénoncer les mensonges et les approximations des organes de la grande presse :

> Toutes les fois qu'une grosse bêtise, une monstrueuse hypocrisie, une de celles que notre siècle produit avec une inépuisable abondance se dresse devant moi, tout de suite je comprends l'utilité du « petit journal ». (II, 225.)

Il rappelait cela dans une lettre à un « petit journal », le *Figaro* de l'époque, où il protestait contre les idées reçues. Le « petit journal » taquinait le « journal à grand format » ; les blogs, les réseaux sont nos petits journaux. Sans eux, on aurait parfois envie de disparaître. N'importe où hors du monde numérique.

26

« Belle conspiration à organiser »

Baudelaire n'a jamais cherché à plaire ; il a même plutôt cherché à déplaire, à offenser, à scandaliser, en affichant sa mélancolie, sa misanthropie, sa misogynie, son mépris. On l'a même taxé d'antisémitisme. Dans *Les Fleurs du Mal*, voici ce qu'il disait de Sara, courtisane qu'il fréquenta quand il avait vingt ans :

> Une nuit que j'étais près d'une affreuse Juive,
> Comme au long d'un cadavre un cadavre étendu,
> Je me pris à songer près de ce corps vendu
> À la triste beauté dont mon désir se prive.

Il lui arrive, au cours de ses conflits avec l'éditeur Michel Lévy, de faire allusion à la religion de son adversaire, « ce juif imbécile (mais très riche) » (C, I, 488). En plus, celui-ci semble faire alliance avec le notaire Narcisse Ancelle, le conseil judiciaire de Baudelaire, qui tient les cordons de sa bourse depuis les frasques de ses vingt ans et par qui il se sent persécuté.

Dans *Les Sept Vieillards*, poème des *Tableaux parisiens*, le vieil homme rencontré en ville, et qui se multiplie de manière effrayante, est un avatar du Juif errant, grand héros romantique, condamné à marcher toujours, depuis qu'il a refusé de désaltérer Jésus durant le Calvaire.

> Tout à coup, un vieillard dont les guenilles jaunes
> Imitaient la couleur de ce ciel pluvieux,
> Et dont l'aspect aurait fait pleuvoir les aumônes,
> Sans la méchanceté qui luisait dans ses yeux,
>
> M'apparut. On eût dit sa prunelle trempée
> Dans le fiel ; son regard aiguisait les frimas,
> Et sa barbe à longs poils, roide comme une épée,
> Se projetait, pareille à celle de Judas.
>
> Il n'était pas voûté, mais cassé, son échine
> Faisant avec sa jambe un parfait angle droit,
> Si bien que son bâton, parachevant sa mine,
> Lui donnait la tournure et le pas maladroit
>
> D'un quadrupède infirme ou d'un juif à trois pattes.

Baudelaire redoute ce monstre, mais s'identifie aussi à lui, par l'intermédiaire de « l'homme des foules » d'Edgar Poe.

Il a connu Alphonse Toussenel, l'auteur des *Juifs, rois de l'époque*, pamphlet de 1847 contre les banquiers. Il le remercie plus tard, en 1856, de l'envoi d'un autre livre, *L'Esprit des bêtes*, où il dit avoir retrouvé ses propres idées sur l'« *analogie universelle* » et contre le « *Progrès indéfini* ». Toutefois, il ne partage pas l'antisémitisme de Toussenel, fondé sur la méfiance socialiste de la finance.

Autre élément du dossier, le plus écrasant, un fragment de *Mon cœur mis à nu* :

> Belle conspiration à organiser pour l'extermination de la Race Juive.
>
> Les Juifs, *Bibliothécaires* et témoins de la *Rédemption*. (I, 706.)

Ces mots, mal compris, choquent à juste titre les lecteurs qui tombent sur eux aujourd'hui. Certains en viennent à faire du poète un précurseur de l'antisémitisme moderne, du passage du vieil antijudaïsme chrétien au racisme génocidaire.

Ces lignes ne sont pourtant pas trop difficiles à expliquer. Elles renvoient à une affirmation de saint Augustin bien connue au XIXe siècle : « Le Juif porte les Livres d'où le Chrétien tire sa foi. Ils sont destinés à être nos bibliothécaires. » Pascal avait repris cette idée dans les *Pensées* : « C'est visiblement un peuple fait exprès pour servir de témoin au Messie. [...] Il porte les livres, et les aime et ne les entend point » (Lafuma, 495).

Chez Baudelaire, le mot *extermination* lui-même provient d'Augustin et de Pascal, lesquels mettaient en garde contre elle : « Si les Juifs, écrivait Pascal, eussent été tous convertis par Jésus-Christ, nous n'aurions plus que des témoins suspects. Et s'ils avaient été tous exterminés, nous n'en aurions point du tout » (Lafuma, 592).

La survie des Juifs était essentielle à leurs yeux, afin qu'il demeure des témoins du Christ. Baudelaire se sépare-t-il de Pascal pour demander le meurtre des Juifs ? Nullement, puisqu'il reprend aussitôt l'objection d'Augustin et de Pascal : l'extermination des Juifs aurait fait disparaître les témoins.

Mais alors, pourquoi « Belle conspiration… » ? Jean Starobinski nous rappelle que Baudelaire utilise en général cette épithète par ironie ou par antiphrase, comme quand il s'attend en décembre 1856 à un « bel éreintage général » des *Fleurs du Mal* (C, I, 364), ou quand il moque « la belle langue de [s]on siècle » dans *La Solitude*, poème en prose du *Spleen de Paris*. Elle sert donc à tourner en dérision l'idée en question. Bref, il est impossible de déduire de ce fragment de *Mon cœur mis à nu* un antisémitisme de Baudelaire.

27

La photographie

La photographie fait partie de ces « choses modernes » que Baudelaire déteste, mais dont il ne saurait se passer, comme la presse ou le Boulevard. Ce sont des instruments de la décadence, de la perte de l'Idéal, mais nul ne les a maîtrisés mieux que lui, n'en a joué avec autant d'art, de virtuosité. Il a eu la chance d'avoir pour ami — ainsi que pour ennemi — Gaspard-Félix Tournachon, dit Nadar, le plus grand photographe contemporain. Nadar, enthousiaste du progrès et de la démocratie, représentait tout ce qu'il abhorrait ; après s'être essayé à la caricature et à la photographie, il se lança dans les ballons aérostatiques. Entre eux, le malentendu fut constant, mais Baudelaire apprit beaucoup de ce proche adversaire.

Le *Salon de 1859* inclut une terrible diatribe contre la photographie, comble du réalisme moderne. Désacralisant le rapport de l'homme à l'image, matérialiste et bourgeoise, la photographie provoque une révolution de la représentation et accélère une décadence que Baudelaire conçoit en termes moraux, métaphysiques et même théologiques. Les traces du divin sont effacées par ce moderne veau d'or exposé à une « foule idolâtre ». Baudelaire décrit la sortie du monothéisme au profit d'un néo-paganisme, dont il énonce le *credo* :

> « Je crois à la nature et je ne crois qu'à la nature [...]. Je crois que l'art est et ne peut être que la reproduction exacte de la nature [...]. Ainsi l'industrie qui nous donnerait un résultat identique à la nature serait l'art absolu. » Un Dieu vengeur a exaucé les vœux de cette multitude. Daguerre fut son messie. Et alors elle se dit : « Puisque la photographie nous donne toutes les garanties désirables d'exactitude (ils croient cela, les insensés !), l'art, c'est la photographie. » À partir de ce moment, la société immonde se rua, comme un seul Narcisse, pour contempler sa triviale image sur le métal. (II, 617.)

La nouvelle religion moderne du réalisme photographique relève à ses yeux de l'idolâtrie, car elle privilégie l'imitation au lieu de faire appel à l'imagination, proclamée « reine des facultés » dans le *Salon de 1859*, en réaction contre le réalisme. La religion photographique est donc un paganisme renaissant ; l'âge de la photographie est celui de la mort de Dieu, car elle initie à une religion de substitution, avec une foi, un credo et un messie. La « triviale image » remplace la « divine peinture ».

> L'industrie, faisant irruption dans l'art, en devient la plus mortelle ennemie, et [...] la confusion des fonctions empêche qu'aucune soit bien remplie. La poésie et le progrès sont deux ambitieux qui se haïssent d'une haine instinctive, et, quand ils se rencontrent dans le même chemin, il faut que l'un des deux serve l'autre. (II, 618.)

Et pourtant Baudelaire écrit à sa mère, de Bruxelles, en décembre 1865 :

> Je voudrais bien avoir ton portrait. C'est une idée *qui s'est emparée de moi*. Il y a un excellent photographe au Havre. Mais je crains bien que cela ne soit pas possible maintenant. Il faudrait *que je fusse présent. Tu ne t'y connais pas*, et tous les photographes, même excellents, ont des manies ridicules ; ils prennent pour une bonne image une image où toutes les verrues, toutes les rides, tous les défauts, toutes les trivialités du visage sont rendus très visibles, très exagérés ; plus l'image est DURE, plus ils sont contents. [...] Il n'y a guère qu'à Paris qu'on sache faire ce que je désire, c'est-à-dire un portrait exact, mais ayant le *flou* d'un dessin. Enfin, nous y penserons, n'est-ce pas ? (C, II, 554.)

Baudelaire formule au mieux son esthétique photographique. Il connaît les défauts habituels des portraits : lignes dures, noirceur sinistre, contrastes forcés, nez, mains et genoux proéminents. La photographie réussie retrouve le flou d'un dessin, s'éloigne du réalisme brut ou de la copie sculptée. Il rêve d'une photographie adoucie de sa mère, moins bougée que fondue par la mise au point.

Et Baudelaire était photogénique. Il a parfaitement posé pour Nadar et Carjat, si bien que, par un curieux paradoxe, de ce farouche contempteur de la photographie nous possédons une quinzaine des meilleures photographies d'écrivain que nous connaissions, et ses poèmes sont inséparables pour tout lecteur d'aujourd'hui des portraits photographiques familiers du poète.

28

La boue et l'or

Voici un homme chargé de ramasser les débris d'une journée de la capitale. Tout ce que la grande cité a rejeté, tout ce qu'elle a perdu, tout ce qu'elle a dédaigné, tout ce qu'elle a brisé, il le catalogue, il le collectionne. Il compulse les archives de la débauche, le capharnaüm des rebuts. Il fait un triage, un choix intelligent ; il ramasse, comme un avare un trésor, les ordures qui, remâchées par la divinité de l'Industrie, deviendront des objets d'utilité ou de jouissance. (I, 381.)

La monarchie de Juillet et le second Empire furent l'âge d'or du chiffonnage. Le chiffonnier était un type social, une figure mythique omniprésente dans les physiologies et les nouveaux tableaux de Paris qui sortaient copieusement des presses. La littérature fit de lui un philosophe, sorte de Diogène, homme libre, rêveur insouciant, et oublia qu'il était souvent un misérable ou un mouchard, le truchement des classes laborieuses et des classes dangereuses.

Avec sa hotte ou son *mannequin*, en argot son *cabriolet* ou son *cachemire d'osier*, avec son crochet, surnommé *sept* en raison de sa forme, et sa lanterne portant son numéro d'enregistrement, il fut croqué par Daumier, Gavarni ou Traviès, fouillant les ordures déposées « au coin des bornes », ces grosses pierres protégeant les façades des rues sans trottoirs du vieux Paris. Baudelaire s'attache à ses pas dans *Les Paradis artificiels*, à propos des joies du vin ; il le suit qui rejoint la bourse des chiffonniers rue Mouffetard :

> Le voici qui, à la clarté sombre des réverbères tourmentés par le vent de la nuit, remonte une des longues rues tortueuses et peuplées de petits ménages de la montagne Sainte-Geneviève. Il est revêtu de son *châle d'osier avec son numéro sept*. Il arrive hochant la tête et butant sur les pavés, comme les jeunes poètes qui passent toutes leurs journées à errer et à chercher des rimes. Il parle tout seul ; il verse son âme dans l'air froid et ténébreux de la nuit. C'est un monologue splendide à faire prendre en pitié les tragédies les plus lyriques.

Chiffons et vieux papiers servaient à la fabrication du papier neuf et du carton ; les os étaient réduits en noir animal, ou en phosphore pour les allumettes ; le verre cassé était refondu ; les clous rejoignaient la ferraille ; les chiens et les chats étaient dépouillés et leurs peaux allaient à la friperie ; les cheveux reparaissaient en tresses et chignons sur la tête des élégantes ; les vieilles savates donnaient l'âme des souliers neufs. « Tout se recueille », concluait Pierre Larousse dans son dictionnaire, jusqu'aux boîtes à sardines transformées en jouets d'enfants, petites trompettes ou soldats découpés. Les bilans, vers, billets doux, procès et romances du deuxième *Spleen* avaient un destin tout trouvé dans la papeterie, tandis que les « lourds cheveux roulés dans des quittances » auraient fini à la perruquerie.

Une fois le chiffonnier passé, il ne restait plus que la *boue*, cette boue si répandue dans les *Tableaux parisiens* des *Fleurs du Mal* de 1861, par exemple celle de « la négresse, amaigrie et phtisique » du *Cygne* : « Piétinant dans la boue », ou celle du spectre des *Sept Vieillards* : « Dans la neige et la boue il allait s'empêtrant », ou encore celle de l'« amoureux de cartes et d'estampes » du *Voyage* : « Tel le vieux vagabond, piétinant dans la boue ».

Or, cette boue, ne l'imaginons pas comme la nôtre, faite de terre et d'eau, minérale, car elle est la boue organique d'un autre temps, dite gadoue de Paris, noire ou verte, margouillis d'immondices déposé au coin des bornes ou dans les ruisseaux; c'est la boue des *boueurs* ou des éboueurs, suivant un euphémisme plus tardif, ou encore des *boueux*, comme on disait dans mon enfance; c'est le *petit fumier* que les derniers des chiffonniers, les *gadouilleurs*, vendront aux maraîchers d'Argenteuil pour engraisser leurs asperges.

C'est dans cette fange « immonditielle », comme disait Hugo, que chute la couronne du poète quand il traverse le boulevard dans le poème en prose *Perte d'auréole*. De ce jeu de l'or et de l'ordure, ou de la royauté et de la gadoue, le plus célèbre exemple contemporain date du 26 février 1848, en pleines journées révolutionnaires, lors de la représentation gratuite du *Chiffonnier de Paris*, mélodrame populaire de Félix Pyat, bientôt député montagnard, puis exilé, puis communard et de nouveau exilé: dans la scène où Frédérick-Lemaître, tenant le rôle du chiffonnier, vidait sa hotte pour en faire l'inventaire, « une couronne fut ajoutée aux épaves ramenées dans la nocturne récolte », comme le rappelle Pierre Larousse, pour la plus grande joie du « public populaire tout frémissant de sa victoire ».

Et c'est encore cette bourbe que le poète, comparé à un chiffonnier dans *Les Paradis arti-*

ficiels, transforme en *Fleurs du Mal* : « J'ai pétri de la boue et j'en ai fait de l'or. » Dans une lettre de 1855, Hugo réconfortait Paul Meurice après que son drame, justement intitulé *Paris*, avait été malmené par le régime impérial : « Mais rien ne se perd, patience, l'or se retrouve dans la boue, et l'empire n'oxydera pas ces vers-là. »

Apostrophant plus violemment Paris, « capitale infâme », Baudelaire s'écriait dans un projet d'épilogue pour son édition de 1861 : « Tu m'as donné ta boue et j'en ai fait de l'or. » Moins qu'au mythe de Midas dans les *Métamorphoses* d'Ovide, c'est à la physiologie du chiffonnier de Paris qu'eût fait allusion cet éventuel dernier vers des *Fleurs du Mal*.

29

Fantasque escrime

Le long du vieux faubourg, où pendent aux masures
Les persiennes, abri des secrètes luxures,
Quand le soleil cruel frappe à traits redoublés
Sur la ville et les champs, sur les toits et les blés,
Je vais m'exercer seul à ma fantasque escrime,
Flairant dans tous les coins les hasards de la rime,
Trébuchant sur les mots comme sur les pavés,
Heurtant parfois des vers depuis longtemps rêvés.

Comme le comédien ou le saltimbanque, le chiffonnier, on l'a compris, est un « représentant allégorique du poète », suivant l'expression de Jean Starobinski. Dans *Les Paradis artificiels* : « Il arrive hochant la tête et butant sur les pavés, comme les jeunes poètes qui passent toutes leurs journées à errer et à chercher des rimes. » Tandis que dans *Le Soleil*, ancien poème des *Fleurs du Mal*, c'est le poète qui « heurte » les mots et les vers comme des pavés, c'est-à-dire les rencontre, les atteint, et non seulement bute contre eux, se cogne avec eux. La violence du choc est exprimée, mais aussi le bonheur du croisement, l'aubaine de la trouvaille.

Comme dans la dédicace du *Spleen de Paris* à Arsène Houssaye, ancien camarade bohème devenu notable du régime : « C'est surtout de la fréquentation des villes énormes, c'est du croisement de leurs innombrables rapports que naît » le petit poème en prose, l'« idéal obsédant » d'une prose poétique « assez souple et assez heurtée » pour représenter les accidents urbains.

Mais la « fantasque escrime » ? L'image déconcerte. Elle garda pour moi son mystère jusqu'au jour où j'y vis l'agitation du crochet du chiffonnier ferraillant au coin des bornes. Lorsque le préfet de police décida, par une ordonnance de 1828, que les chiffonniers devraient s'enregistrer, il le justifia au motif « que des malfaiteurs tromp[ai]ent la surveillance de la police en se munissant, comme les chiffonniers, d'un crochet qui peut, entre leurs mains, devenir un instrument de vol et de meurtre ». Le *numéro 7*, encore appelé *canne à bec*, *hotteriot* (ou *trait de l'amour* quand le chevalier du crochet allait sous le nom de *Cupidon* et que sa hotte devenait son *carquois*), s'apparentait à une dangereuse arme blanche.

Le 1ᵉʳ avril 1832, les chiffonniers de Paris se révoltèrent après que les autorités eurent ordonné l'enlèvement immédiat des immondices pour assainir la ville ravagée par le choléra. L'émeute fut d'une rare violence et la presse en rendit compte comme d'un combat entre adversaires également armés : « Le crochet du chiffonnier s'est croisé avec le sabre du garde municipal, avec l'épée du sergent de ville. » Crochet, sabre, épée, les trois équipements étaient synonymes, ce qui suggère que le spectre des *Sept Vieillards*, surpris dans « Le faubourg secoué par les lourds tombereaux », était lui aussi un chiffonnier :

Tout à coup, un vieillard dont les guenilles jaunes
Imitaient la couleur de ce ciel pluvieux,
Et dont l'aspect aurait fait pleuvoir les aumônes,
Sans la méchanceté qui luisait dans ses yeux,

M'apparut. On eût dit sa prunelle trempée
Dans le fiel ; son regard aiguisait les frimas,
Et sa barbe à longs poils, roide comme une épée,
Se projetait, pareille à celle de Judas.

C'est la barbe de cet avatar du Juif errant qui est comparée à une épée (les chiffonniers, comme les colporteurs, étaient assimilés à Ahasvérus, remis à la mode par le roman d'Eugène Sue, la suite des *Mystères de Paris* intitulée

Le Juif errant), mais, comme ses semblables, il est aussi muni d'une canne, peut-être bien à bec, qui lui donne l'allure d'« un quadrupède infirme ou d'un juif à trois pattes ».

La « fantasque escrime » figurerait donc le mouvement du chiffonnier avec son crochet, hypothèse renforcée au vers qui suit : « Flairant dans tous les coins », où « fleuret » et « flairant » assonancent, et où les « coins » rappellent ceux des bornes. Et c'est encore celle de Constantin Guys, au retour de ses collectes nocturnes dans Paris : « Maintenant, à l'heure où les autres dorment, celui-ci est penché sur sa table, dardant sur une feuille de papier le même regard qu'il attachait tout à l'heure sur les choses, s'escrimant avec son crayon, sa plume, son pinceau » (II, 693).

Lors de la révolte des chiffonniers de 1832, Baudelaire était encore enfant, mais il ne put ignorer cette épopée. Y songe-t-il dans *Paysage*, le poème qui précède *Le Soleil* dans les *Tableaux parisiens* en 1861 et qui décrit un autre moment de la création poétique ?

L'Émeute, tempêtant vainement à ma vitre,
Ne fera pas lever mon front de mon pupitre.

30

Rébus au rebut

Dans *Les Petites Vieilles*, celles-ci, traquées par le poète dans les « plis sinueux » de la capitale, sont qualifiées d'êtres « décrépits », de « monstres disloqués », « brisés, bossus ou tordus » :

> Ils rampent, flagellés par les bises iniques,
> Frémissant au fracas roulant des omnibus,
> Et serrant sur leur flanc, ainsi que des reliques,
> Un petit sac brodé de fleurs ou de rébus.

Ces rébus m'ont toujours intrigué. Baudelaire se doutait qu'ils surprendraient les lecteurs et, dans une note du manuscrit envoyé à Hugo en septembre 1859, non reprise dans *Les Fleurs du Mal* en 1861, il les justifiait par leur présence sur des gravures publiées dans le *Journal des dames et des modes* de Pierre de La Mésangère sous le Directoire. Son ami Poulet-Malassis lui en avait envoyé un numéro à Honfleur en février 1859. Les sacs à ouvrage, réticules (ou ridicules) chargés de devises ou de rébus étaient à la mode en 1797. Derrière les rébus brodés des *Petites Vieilles*, il y aurait donc des *realia*, ou du moins des images dénichées dans de vieux journaux. Je le savais, mais je restais perplexe. Si Baudelaire pensa devoir s'expliquer dans une note, c'est qu'il était lui-même troublé.

Or je suis tombé par hasard sur un article anonyme de 1837 dans le *Figaro* (en réalité par Théophile Gautier, l'« impeccable » dédicataire des *Fleurs du Mal*), intitulé « Chambres d'artiste » :

> La chambre *d'artiste* doit s'enfouir sous la crasse comme une ruine des vieux temps ; elle recueille les ordures des autres, va quelquefois les chercher loin, et en fait les plus doux ornemens. Ce sont çà et là des tessons de vaisselle, des ustensiles inaccoutumés, des débris de friperie, des rebus jetés à la borne, un lambeau de damas, une trompette, un briquet rouillé, et, par exemple, autant de charogne que possible [...] cela est du meilleur effet.

On croirait la chambre de Baudelaire à l'hôtel Pimodan sur l'île Saint-Louis, du temps de la bohème. Gautier écrivait encore « ornemens » et « rebus » sans la lettre *t*, et il parlait de « rebus jetés à la borne », toujours la borne du chiffonnier. Les petits sacs des petites vieilles n'auraient-ils pas eux aussi été ramassés au coin de la borne ?

Gautier était lui aussi sensible au jeu de la boue et de l'or, de l'auréole et de l'ordure, par exemple dans la description d'une « Vanité » baroque, l'un des *Deux tableaux de Valdes Léal*, poème recueilli dans *España* en 1845 et admiré par Baudelaire (II, 126) :

Un des plateaux chargé de tiares papales,
De couronnes de rois, de sceptres, d'écussons ;
L'autre, de vils rebuts, d'ordure et de tessons.
Tout a le même poids aux balances suprêmes.

Rebut et *rébus* ? Ces deux mots qui se suivent dans le dictionnaire me trottaient dans la tête, avec leur énervante homophonie et leur équivalence virtuelle. D'autant plus que l'on ne sait jamais si l'on doit prononcer le *s* de *rébus* ou s'il faut le laisser muet comme dans *ananas*. N'est-il pas mieux, plus correct, de dire « rébu » comme « zébu », en tout cas au singulier (« un rébu, des rébus »), comme dans certaines régions et même si le mot vient d'un ablatif latin ? Dans *Les Petites Vieilles*, « rébus » rime toutefois avec « omnibus ». Baudelaire s'amuse à introduire un néologisme, issu lui d'un datif, dans la poésie lyrique, mais je ne crois pas qu'on ait jamais prononcé « omnibu », même chez la duchesse de Guermantes où le snobisme voulait qu'on tût les consonnes finales.

J'en étais là de mes hésitations lorsque je consultai le *Dictionnaire universel de la langue française* de Pierre-Claude-Victoire Boiste (1823), revu en 1834 par Charles Nodier, fameux chiffonnier littéraire, et tombai sur ceci :

> RÉBUS, s. m. *Rebus*. Jeu de mots ; allusions équivoques ; calembourgs ; représentation des objets substituée aux mots, à l'aide de l'équivoque ; (*figuré, familier*) mauvaises plaisanteries. *Mettez les* rébus *au* rebut.
> REBUT, s. m. *Contemptio*. Action de rebuter ; ce qui a été rebuté (mettre au rebut ; choses de rebut).

Cet usuel contient d'ailleurs un dictionnaire des rimes, qui fait rimailler *rébus* et *omnibus*.

Ainsi, le rébus est un calembour, une mauvaise plaisanterie, et il existait un calembour sur le rébus qui le mettait au rebut. Pas de doute : sous le rébus il y a le rebut ; *Les Petites Vieilles* étaient des chiffonnières, ou bien elles avaient trouvé au rebut leurs sacs brodés de rébus.

Morale désagréable

J'ai tâché de me replonger dans *Le Spleen de Paris* (poèmes en prose) ; car, ce n'était pas fini. Enfin j'ai l'espoir de pouvoir montrer, un de ces jours, un nouveau Joseph Delorme accrochant sa pensée rapsodique à chaque accident de sa flânerie et tirant de chaque objet une morale désagréable. Mais que les bagatelles, quand on peut les exprimer d'une manière à la fois pénétrante et légère, sont donc difficiles à faire ! (C, II, 583.)

Tel est l'aveu que Baudelaire livrait à Sainte-Beuve en janvier 1866, deux mois avant l'accident cérébral qui le rendit aphasique et dont il ne se remit pas. À son habitude, il flatte son aîné, l'auteur des *Poésies de Joseph Delorme*, en prétendant que ses propres poèmes en prose devraient quelque chose à l'œuvre de jeunesse du premier des critiques.

Plusieurs thèmes baudelairiens cardinaux sont évoqués : la flânerie et ses accidents, la difficulté créatrice, l'autodérision (les poèmes en prose sont ici qualifiés de « bagatelles », ailleurs de « petites babioles »), et surtout l'intention de formuler à chaque fois une « morale désagréable ». Baudelaire veut choquer, cabrer son lecteur : c'est ce qu'il fait de plus en plus dans *Le Spleen de Paris*, dont les poèmes devinrent si grinçants que les journaux refusaient tous de les imprimer. Un an plus tôt, proposant quelques pièces à Louis Marcelin, directeur de *La Vie parisienne* et lui-même caricaturiste insolent, Baudelaire précisait, à charge ou à décharge, on ne sait, mais en vain cependant : « Ce sont des horreurs et des monstruosités qui feraient avorter vos lectrices enceintes » (C, II, 465). Le séjour prolongé à Bruxelles rendait Baudelaire de plus en plus hargneux, comme l'attestent les terribles notations sur les Belges recueillies dans *Pauvre Belgique !* ou *La Belgique déshabillée*, si mesquines qu'il vaut mieux ne pas les citer.

Baudelaire n'est pas sympathique (il n'est pas aussi commode de passer l'été avec lui qu'en compagnie de Montaigne) : il est hostile au progrès, à la démocratie et à l'égalité ; il méprise presque tous ses semblables ; il se méfie des bons sentiments ; il ne pense pas beaucoup de bien ni des femmes, ni des enfants, ni d'ailleurs de ses semblables en général ; et il est partisan de la peine de mort, mais comme un sacrifice :

> La peine de Mort est le résultat d'une idée mystique, totalement incomprise aujourd'hui. La peine de Mort n'a pas pour but de *sauver* la société, matériellement du moins. Elle a pour but de *sauver* (spirituellement) la société et le coupable. Pour que le sacrifice soit parfait, il faut qu'il y ait assentiment et joie de la part de la victime. (I, 683.)

Peut-on l'excuser en faisant valoir qu'il est la victime des préjugés de son époque, qu'il n'est pas plus inqualifiable que la plupart de ses contemporains, et que l'on trouverait sans peine des propos aussi affreux sous la plume de Balzac, Sainte-Beuve, Barbey d'Aurevilly, Flaubert, Renan, Taine, les Goncourt ? C'est difficile, car, par bien d'autres côtés, Baudelaire est aussi notre contemporain : lui qui avançait en « regardant dans le rétroviseur », comme le lui reprochera Sartre, il a inventé cette « modernité » dans laquelle nous nous débattons encore, faite d'amour et de haine pour le monde moderne, d'engagement et de résistance, d'enthousiasme et de rage.

Peut-on le défendre en prétendant qu'il fut avant tout un agitateur, un trublion des idées et des formes, un maniaque du paradoxe ? Non, car il pensa vraiment toutes les abominations qu'il écrivit, mais il pensa aussi autrement et tint sur beaucoup de choses un double langage.

Proust avait d'abord imaginé de terminer son roman par une conversation du héros avec sa mère. Celle-ci n'aimait Baudelaire qu'à demi, parce qu'elle avait trouvé dans ses lettres, mais aussi dans sa poésie, des « choses cruelles ». Son fils lui accordait que Baudelaire était féroce, mais il ajoutait que c'était « avec infiniment de sensibilité », et que « dans sa dureté [...] les souffrances qu'il raille, qu'il présente avec cette impassibilité, on sent qu'il les a ressenties jusqu'au fond de ses nerfs ». Il citait *Les Petites Vieilles* :

> — Ces yeux sont des puits faits d'un million de larmes...
> Toutes auraient pu faire un fleuve avec leurs pleurs...
> ... flagellés par les bises iniques,
> Frémissant au fracas roulant des omnibus...
> Se traînent, comme font les animaux blessés

Le héros du roman de Proust entendait démontrer à sa mère que Baudelaire s'identifiait aux petites vieilles, vivait dans leur corps, frémissait avec leurs nerfs, souffrait avec elles. Il y a de la compassion, de la générosité et même de la mansuétude et de la charité dans

le regard que Baudelaire pose sur les malheu-
reux, les pauvres, les exilés, les exclus, avec lesquels il communie.

> Mais moi, moi qui tendrement vous surveille,
> L'œil inquiet, fixé sur vos pas incertains,
> Tout comme si j'étais votre père, ô merveille !

Entre la cruauté et la pitié, l'insensibilité
et la charité, il n'est jamais facile de trancher,
ni dans *Les Fleurs du Mal* ni dans *Le Spleen de
Paris*, car Baudelaire refuse l'émotion à bon
marché. Pourtant, même dans les poèmes en
prose les plus durs, le poète est là, qui veille sur
les êtres les plus fragiles, comme dans *Le Vieux
Saltimbanque*, devant le comédien abandonné :

> Je sentis ma gorge serrée par la main terrible de
> l'hystérie, et il me sembla que mes regards étaient offus-
> qués par ces larmes rebelles qui ne veulent pas tomber.

32

Poncifs

D'abord maudit, condamné, rejeté, Baudelaire devint, vers le cinquantenaire de sa mort en 1917, puis pour de bon lors du centenaire de sa naissance en 1921, le plus grand poète français, le plus lu, le plus étudié, le plus récité. Dans l'une de ses photographies par Nadar, Proust voyait alors l'image du poète éternel :

> Il a surtout sur ce dernier portrait une ressemblance fantastique avec Hugo, Vigny et Leconte de Lisle, comme si tous les quatre n'étaient que des épreuves un peu différentes d'un même visage, du visage de ce grand poète qui au fond est un, depuis le commencement du monde, dont la vie intermittente, mais aussi longue que celle de l'humanité, eut en ce siècle ses heures tourmentées et cruelles.

Baudelaire venait de dépasser Victor Hugo pour incarner à son tour le poète français et, depuis lors, il n'a pas démérité. L'autre jour, j'entendais dans la rue des jeunes gens qui sor-

taient de l'oral du bac et commentaient longuement le poème sur lequel l'un d'eux était
tombé, ce deuxième *Spleen* (« J'ai plus de souvenirs… ») qui m'avait moi-même tant ému en
classe de première, il y a près d'un demi-siècle.

La disproportion semble cruelle entre
l'heureuse fortune posthume de Baudelaire
et l'affreuse misère de sa vie, telle qu'il la ressasse dans chacune de ses lettres à sa mère, les
mêmes durant des années :

> Je voyais devant moi une interminable suite d'an
> nées sans famille, sans amis, sans amie, toujours des
> années de solitude et de hasards. (C, I, 357.)
> Je me demande sans cesse : à quoi bon ceci ?
> À quoi bon cela ? C'est là le véritable esprit du
> spleen. (C, I, 438.)
> Songe donc que depuis tant, tant d'années, je vis
> sans cesse au bord du suicide. Je ne te dis pas cela pour
> t'effrayer ; car je me sens malheureusement condamné
> à vivre ; mais simplement pour te donner une idée de
> ce que j'endure depuis des années qui pour moi ont été
> des siècles. (C, II, 25.)
> Je suis tombé dans une sorte de terreur nerveuse
> perpétuelle ; sommeil affreux ; réveil affreux ; impossi
> bilité d'agir. (C, II, 140.)

Sa peur, sa panique sont omniprésentes,
et Baudelaire y revient dans chacune de ses
lettres à sa mère : « l'état d'angoisse et de terreur nerveuse dans lequel je vis perpétuelle-

ment » (C, II, 200) ; ou « la peur, surtout ; la peur de mourir subitement ; — la peur de vivre trop longtemps, la peur de te voir mourir, la peur de m'endormir, et l'horreur de me réveiller » (C, II, 274) ; ou encore « une peur perpétuelle, augmentée par l'imagination, pour avoir renvoyé et négligé les choses importantes » (C, II, 304).

Cette vie a été atroce, ratée, comme Sartre le soulignera à plaisir, en omettant tout de même d'ajouter que l'œuvre, elle, fut réussie, et que cette existence échouée fut le prix à payer pour une œuvre sublime. Si bien que tous, nous avons des vers de Baudelaire plein la tête, des poèmes que nous pouvons réciter parce que nous les avons appris à l'école et qu'ils se sont gravés à jamais dans la chambre noire de nos petits cerveaux. Chaque génération a eu ses vers d'anthologie. En pension, nous nous récitions ceux-ci :

> La diane chantait dans la cour des casernes,
> Et le vent du matin soufflait sur les lanternes.
>
> C'était l'heure où l'essaim des rêves malfaisants
> Tord sur leurs oreillers les bruns adolescents.

Du temps de Proust, c'était *Chant d'automne*, mis en musique par Fauré :

J'aime de vos longs yeux la lumière verdâtre,
Douce beauté, mais tout aujourd'hui m'est amer,
Et rien, ni votre amour, ni le boudoir, ni l'âtre,
Ne me vaut le soleil rayonnant sur la mer.

Ce « soleil rayonnant sur la mer », Proust l'avait dans la tête comme une scie.

Pour d'autres, c'était ce vers de *L'Albatros* : « Ses ailes de géant l'empêchent de marcher. » Ou le distique conclusif du *Voyage*, derniers mots des *Fleurs du Mal* de 1861 :

Plonger au fond du gouffre, Enfer ou Ciel qu'importe ?
Au fond de l'Inconnu pour trouver du *nouveau !*

Quand j'étais étudiant, on ne jurait que par *Les Chats*, disséqués par Claude Lévi-Strauss et Roman Jakobson :

Leurs reins féconds sont pleins d'étincelles magiques,
Et des parcelles d'or, ainsi qu'un sable fin,
Étoilent vaguement leurs prunelles mystiques.

Baudelaire nous a laissé tant d'images durables et de vers mémorables. « Créer un poncif, c'est le génie. Je dois créer un poncif », s'écriait-il, on l'a vu, dans *Fusées*. Comment savoir s'il se moquait des créateurs de poncifs, lui qui avançait, à propos de Victor Hugo, que « le *génie* est toujours *bête* », ou s'il se mettait lui-

même au défi d'écrire des vers inoubliables ?
Son ironie coutumière nous empêche de trancher ; il était trop intelligent pour forger des
lieux communs et il nous a laissé un paquet des
paradoxes que nous peinons encore à défaire.

33

Mariette

Nous avons ouvert ces petits chapitres sur Baudelaire, le vers et la prose, la poésie et la critique, les notes pamphlétaires et les fragments autobiographiques, avec un poème mineur, mais touchant, des *Fleurs du Mal*. Baudelaire y revenait sur son intimité avec sa mère après la mort de son père, sorte de « paradis des amours enfantines » précédant le remariage de Caroline Baudelaire avec le commandant Aupick :

> Je n'ai pas oublié, voisine de la ville,
> Notre blanche maison, petite mais tranquille…

Terminons avec le poème suivant dans le recueil, poème qui lui non plus n'appartient pas aux plus mémorables et qui évoque lui aussi l'enfance du poète :

> La servante au grand cœur dont vous étiez jalouse,
> Et qui dort son sommeil sous une humble pelouse,

> Nous devrions pourtant lui porter quelques fleurs.
> Les morts, les pauvres morts, ont de grandes douleurs.

Le poète se souvient à présent de la servante de ses années d'orphelin, de la femme qui lui donna l'affection que sa mère, personne stricte et réservée, lui accordait avec parcimonie. Auprès d'elle, nommée Mariette, il aurait contracté, pour le meilleur et pour le pire, « le goût précoce du *monde* féminin, *mundi muliebris* », comme il le dira (I, 499). Cet hommage à la servante généreuse donne à voir la tendresse de Baudelaire et mérite d'être rappelé aux lecteurs qui resteraient heurtés par la férocité de certains de ses propos. Ici, il s'émeut au souvenir d'une personne dont il n'a pas été digne et qu'il a laissée mourir :

> Lorsque la bûche siffle et chante, si le soir,
> Calme, dans le fauteuil je la voyais s'asseoir,
> Si, par une nuit bleue et froide de décembre,
> Je la trouvais tapie en un coin de ma chambre,
> Grave, et venant du fond de son lit éternel
> Couver l'enfant grandi de son œil maternel,
> Que pourrais-je répondre à cette âme pieuse,
> Voyant tomber des pleurs de sa paupière creuse ?

L'image de cette rivale de la mère, elle, insuffisamment maternelle, traverse toute l'œuvre, auprès de celle du père trop tôt disparu, jusqu'à cette « Prière » prononcée dans *Mon cœur mis à nu* :

> Ne me châtiez pas dans ma mère et ne châtiez pas ma mère à cause de moi. — Je vous recommande les âmes de mon père et de Mariette. — Donnez-moi la force de faire immédiatement mon devoir tous les jours et de devenir ainsi un héros et un Saint. (I, 692-693.)

Ce rituel faisait partie des récurrentes exhortations au travail que Baudelaire s'adressait à lui-même. Vis-à-vis d'eux tous, père, mère et Mariette, « la servante au grand cœur », Baudelaire exprime un intense sentiment de culpabilité, de dette non honorée. C'est encore le cas dans cette exhortation d'*Hygiène* :

> Faire tous les matins ma *prière à Dieu, réservoir de toute force et de toute justice*, à *mon père*, à *Mariette et à Poe*, comme intercesseurs ; les prier de me communiquer *la force nécessaire* pour accomplir tous mes devoirs, et d'octroyer à ma mère *une vie assez longue* pour jouir de ma transformation ; travailler toute la journée, ou du moins *tant que mes forces me le permettront* ; me fier à Dieu, c'est-à-dire à la Justice même, pour la réussite de mes projets ; faire tous les soirs une nouvelle prière, pour demander à Dieu la vie et la force pour ma mère et pour moi. (I, 673.)

Travailler : il est toujours question de cela comme d'un vœu et d'un idéal. Baudelaire, cependant, fut un être double, comme nous tous, et il souffrait de son indolence. Comme il le disait :

> Il y a dans tout homme, à toute heure, deux postulations, l'une vers Dieu, l'autre vers Satan. L'invocation à Dieu, ou spiritualité, est un désir de monter en grade ; celle de Satan, ou animalité, est une joie de descendre. (I, 682-683.)

Tout est partagé en Baudelaire, qui reste inclassable, irréductible à toute simplification. Respectons ses contradictions.

Table des matières

Achevé d'imprimer
par l'Imprimerie Floch à Mayenne
en mai 2015.
Dépôt légal : mai 2015.
Numéro d'imprimeur : 88367.

ISBN : 978-2-84990-398-8 / Imprimé en France.